L'Art de rêver

DU MÊME AUTEUR

L'Art de rêver, Les éditions internationales Alain Stanké, 1994 ; Éditions J'ai lu, 1999 ; CD audio, Éditions Coffragants, 2003.

Rêves et Complices, livre et CD pour enfants, Éditions Coffragants, 1996.

Les rêves, messagers de la nuit, Les Éditions de l'Homme, 1998.

Découvrez votre mission personnelle, Les éditions Un monde différent, 1999.

Mon Journal de rêves, Les Éditions de l'Homme, 1999.

La découverte par le rêve, Les éditions Un monde différent, 2000.

Le sommeil idéal, Les éditions Un monde différent, 2000.

Les rêves d'amour, Les éditions Un monde différent, 2000.

Mon enfant fait des cauchemars, Éditions Alexandre Stanké, 2000.

Rêves et Symboles, Les Éditions le Dauphin Blanc, 2003.

Rêves et Spiritualité, Les Éditions le Dauphin Blanc, 2003.

Nicole Gratton

L'Art de rêver

GUIDE PRATIQUE
POUR DEVENIR UN RÊVEUR ACTIF

Édition revue et augmentée

Préface de
Pierre Fluchaire

Flammarion
Québec

Catalogage avant publication de la Bibliothèque nationale du Canada

Gratton, Nicole, 1951-

L'art de rêver : guide pratique pour devenir un rêveur actif

Éd. rev. et augm.
Publ. à l'origine dans la coll. : Collection Parcours.
[Montréal] : Stanké, c1994.
Comprend des réf. bibliogr.

ISBN 2-89077-248-9

1. Rêves. 2. Rêves - Interprétation. 3. Rêve-éveillé-dirigé.
4. Autodéveloppement. I. Titre.
BF1092.G72 2003b 154.6'3 C2003-940510-9

Mise en pages : Andréa Joseph
Graphisme de la page couverture : Olivier Lasser
Illustrations : Jean-Marc Borduas
Photo de la page couverture : Shaffer Smith/SuperStock

ISBN 2-89077-248-9
Dépôt légal : 2e trimestre 2003

Imprimé au Canada

TABLE DES MATIÈRES

À mon père Jacques
pour sa grande sagesse
dont je m'inspire sans cesse

PRÉFACE

Jadis, on était à l'écoute de ses rêves. On les vénérait. Ils étaient utilisés pour diagnostiquer des maladies, saisir le futur, mais aussi pour pénétrer l'âme. Avec la venue de l'âge des lumières et la connaissance plus approfondie des lois physiques, cette pratique est devenue synonyme d'absurde superstition. De son côté, l'Église chrétienne, par l'entremise de certains pères, a rendu le rêve démoniaque et redoutable. Jusqu'au siècle dernier, on risquait une forte amende si on cherchait à le comprendre.

Avec la parution de *L'Interprétation des rêves* de Freud, en 1900, et les travaux subséquents de Jung et de ses collaborateurs, le rêve a retrouvé ses lettres de noblesse. Le rêve est reconnu pour être un processus de vie et de sens. Mais encore faut-il s'en souvenir et savoir profiter de ce qu'il veut nous dire.

Actuellement, peu de gens s'intéressent vraiment à leurs rêves et ceux qui cherchent à les comprendre ne cherchent pas à les utiliser.

C'est le grand mérite de ce livre de nous donner les moyens de nous souvenir de nos rêves, mais surtout de les utiliser, d'en faire des outils de croissance psychologique et d'évaluation spirituelle. Non seulement il est très utile, mais il nous réconcilie avec une part précieuse de nous-même. Son écriture simple et concise et l'enthousiasme de l'auteur nous le rendent passionnant à découvrir.

Je souhaite à ce livre tout le succès qu'il mérite.

Pierre FLUCHAIRE

Le préfacier est auteur de nombreux ouvrages sur les rêves, dont *La Révolution du rêve*. Il est également fondateur du Club du sommeil et du rêve en France.

AVANT-PROPOS

Presque dix ans ont passé depuis la sortie de la première édition de cet ouvrage consacré aux rêves, publié aux Éditions internationales Alain Stanké, puis repris et distribué dans toute la francophonie par les Éditions J'ai lu. Vu les récentes découvertes sur la physiologie du sommeil et dans divers domaines liés aux rêves, j'ai cru qu'une mise à jour de ***L'Art de rêver*** s'imposait.

Dans cette nouvelle édition revue et enrichie, vous trouverez donc **deux chapitres inédits** qui explorent les thèmes de la **conscience** et de la **transformation** Que faut-il savoir et faire pour devenir un rêveur conscient ? Comment cheminer par nos rêves en passant de la libération à la transformation ? En plus de ces chapitres 11 et 12, le texte a été émaillé d'ajouts ponctuels reflétant l'état des connaissances actuelles sur les sujets abordés dans ce livre.

Et pour faciliter encore le travail sur les rêves, **quatre tableaux** se sont aussi ajoutés à l'ouvrage. Ils contiennent des listes pratiques de **postulats** pour induire les rêves, des **affirmations** pour améliorer le contenu des rêves, une liste de **sentiments** pour analyser correctement les images et, finalement, des suggestions de **thèmes mensuels** pour favoriser des transformations à long terme.

INTRODUCTION

Fascinée depuis ma tendre enfance par le rêve, j'ai consacré temps et énergie à étudier cette activité nocturne. Une curiosité insatiable et un ardent désir de savoir m'ont conduite vers des livres, des personnes et des enseignements étonnants. Ainsi, j'ai expérimenté directement des techniques vérifiables et, à partir de 1980, j'ai élargi d'une façon méthodique ma connaissance des rêves. Par la suite, j'ai donné des conférences dans divers milieux. Depuis 1992, j'offre des ateliers pratiques.

Une formation scientifique en milieu hospitalier, alliée à une recherche spirituelle approfondie, m'a permis de jeter un regard objectif et global sur l'aspect subjectif des rêves. En fait, il s'agit de posséder quelques bons outils pour décoder ce langage mystérieux. Avec ce livre, vous apprendrez à travailler d'une manière autonome avec vos rêves. J'ai structuré cette approche en trois parties distinctes : les trois premiers chapitres contiennent des éléments d'**information**, les cinq suivants, des principes d'**action**, et les quatre derniers, la **résultante** de cette démarche. La connaissance théorique, jumelée à l'expérience directe, vous mènera vers une prise de conscience profonde du monde du rêve.

Tantôt subtil, délicat et discret, le rêve nous chuchote un doux message, une information utile ou un conseil pratique. Tantôt agressif, dérangeant et parfois même troublant, il clame un avertissement urgent, un rappel à l'ordre ou encore une communication importante. Surtout, il nous seconde dans notre cheminement et notre épanouissement et, vous le découvrirez, il est notre allié le plus fidèle.

De l'ordre matériel à l'ordre spirituel, en passant par l'émotif et le mental, le rêve s'avère un instrument adapté à nos besoins spécifiques. Il reflète les conditions intérieures du moment et nous rappelle les causes passées qui affectent notre vie actuelle. Il nous permet d'entrevoir les effets que nous sommes susceptibles de récolter dans un avenir plus ou moins lointain.

De par sa nature compensatoire, réactive, prémonitoire, télépathique et initiatique, le rêve nous ouvre à un autre monde de réalités. Le dialogue s'établit d'abord à l'intérieur de soi, puis il s'ouvre vers nos proches, les êtres chers que nous côtoyons et vers l'Univers tout entier.

Fiction ou réalité, imagination ou vérité, peu importe, le rêve est le miroir de notre être ; nous l'avons enfanté et il exprime notre essence même. Comment différencier le fantasme de la prémonition ? Seules l'expérience et l'écoute intuitive nous aideront à en décoder les indices subtils.

Mon rôle est de vous procurer grâce à ce livre la motivation nécessaire pour découvrir le mécanisme de vos rêves et vous en faire des alliés précieux et utiles.

Ce guide pratique est un outil de travail et un manuel de référence. Vous pouvez le lire dans l'ordre habituel, de la première à la dernière page, ou consulter directement le chapitre qui vous intéresse en vous laissant guider vers le thème de votre choix, selon les besoins du moment.

Mon but est de vous rendre la tâche facile. Je vous propose donc une approche pratique, simple et efficace.

Qui, mieux que le rêveur lui-même, peut sentir, flairer ou déchiffrer la précieuse information dévoilée la nuit ? Devenez un rêveur actif et prenez votre vie en main pour la modeler à la hauteur de vos aspirations. Puissent vos nuits être aussi enrichissantes que vos jours afin d'accroître et de faciliter votre épanouissement.

À l'art de vivre s'adresse ***L'Art de rêver.***

Première partie

L'INFORMATION

SAVOIR POUR MIEUX AGIR

1

Prélude à l’art de rêver

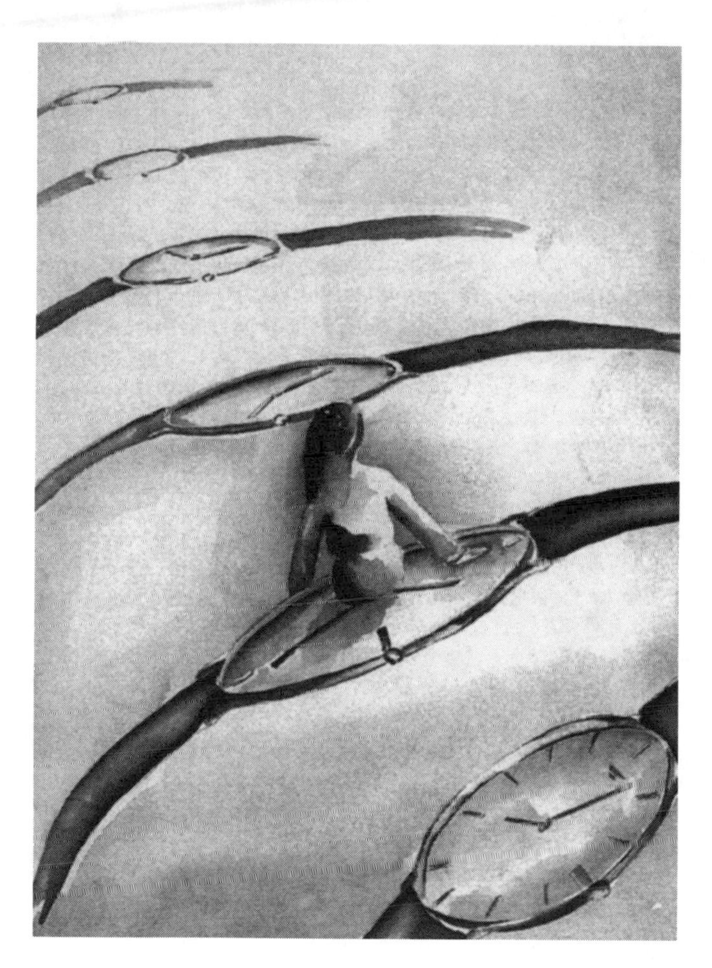

L’âme voyage dans le temps.
Passé, présent et futur lui sont accessibles.

Transformer l'action de rêver, activité commune à tous, en art de rêver, voilà la démarche que je vous propose. Comme dans toute pratique artistique, que ce soit la danse ou la peinture, rêver activement demande un investissement de temps et d'énergie.

Les résultats seront fonction de votre désir sincère de réussir. On peut tapoter sur les touches d'un piano ou encore laisser glisser ses doigts avec dextérité et en faire jaillir une symphonie exquise. On peut étendre de la peinture sur une toile ou bien y déposer des couleurs qui feront apparaître une œuvre admirable. On peut rêver et subir passivement les images au hasard des scénarios, ou choisir de s'envoler avec grâce dans le monde du rêve et y puiser les richesses en provenance d'une source illimitée.

Chaque nuit, les rêves sont au rendez-vous. Toujours fidèles, ils n'attendent que notre écoute attentive et notre engagement pour établir une communication dynamique et enrichissante.

En guise de préparation pour cultiver l'art de rêver, ces éléments d'information vous permettront d'apprivoiser le monde magique des images et des émotions qui reflètent les multiples facettes de votre individualité, de votre être entier.

HISTORIQUE

À travers le temps, la réputation des rêves connaît des jours de gloire et des moments de grande obscurité. Selon les époques et les cultures, les songes sont plus ou moins bien perçus. Tantôt ils sont accueillis comme des bénédictions, tantôt comme une calamité.

Les premiers écrits sur les rêves datent d'environ 5 000 ans avant Jésus-Christ. Des tables d'argile assyriennes et babyloniennes contiennent des données sur l'interprétation des rêves. Plus tard, les Védas, textes sacrés de l'Inde, mentionnent des descriptions de rêves.

Par la suite, dans l'Antiquité, les rêves sont employés à obtenir des conseils et des guérisons. Les nombreux temples grecs dédiés à Esculape, dieu de la médecine, témoignent de l'importance des rêves dans la culture de cette époque. Les gens s'y rendent pour dormir dans le sanctuaire et obtenir par le rêve la guérison souhaitée.

On accorde aux rêves la valeur de prophétie et de prémonition. Les Égyptiens les associent aux messages des dieux et des esprits. Les Orientaux les relient directement à l'âme du rêveur. De nombreux dignitaires possèdent leur propre interprète. C'est un âge d'or pour le rêve.

Plus tard, au Moyen Âge, l'Occident chrétien renie l'aspect spirituel des rêves. On les condamne, la plupart étant considérés comme l'œuvre du démon. C'est une période de grande noirceur. Le rêve perd son pouvoir inspirant et devient un élément d'angoisse à cause des persécutions envers toute personne qui ose les interpréter. Certains soutiennent que le rêve est une suite absurde d'images sans lien.

Vers la fin du XVIIIe siècle, un intérêt nouveau se ranime et de nombreuses clés des songes en provenance des pays du Proche-Orient musulman refont surface. Peu à peu, les rêves reprennent leur popularité malgré le grand mystère qui les entoure.

Puis, au début du XXe siècle, deux grands pionniers de la compréhension des rêves amorcent un travail considérable sur leur aspect psychanalytique. Le premier, Sigmund Freud, publie un traité qui révolutionne l'approche de l'activité onirique : *Le Rêve et son interprétation*. Il qualifie le rêve de « voie royale vers l'inconscient ». À une époque où l'éducation véhicule beaucoup d'interdits et où la notion de péché est omniprésente, le père de la psychanalyse détecte dans le rêve une fonction équilibrante qui permet la manifestation déguisée de tous les désirs refoulés durant le jour. Cela explique l'importance du symbolisme sexuel dans l'analyse freudienne.

L'élève de Freud, le Suisse Carl Gustav Jung, va plus loin en dépassant les limites des désirs pulsionnels pour analyser le rêve. Il refait le pont entre le rêve et la spiritualité. Le rôle de l'âme reprend sa place dans la manifestation du contenu onirique. Jung dévoile l'inconscient collectif, ce réservoir de l'expérience humaine accumulée depuis le début des temps. De cette notion découlent les archétypes qui sont des contenus à motifs universels. La compréhension des rêves s'élargit de plus en plus. À partir du rêve, Jung ouvre la porte de la connaissance de soi. Le rêve reprend sa place d'honneur.

Plus près de nous, en 1953, deux savants américains, Nathaniel Kleitman et Eugène Aserinsky, apportent un éclairage nouveau sur la physiologie du rêve. Enfin, la science peut détecter et mesurer les périodes et la durée du rêve. L'électro-encéphalogramme est un appareil qui enregistre les variations électriques du cerveau humain. Ces découvertes ont permis d'identifier deux types de sommeil : le sommeil lent (comprenant le sommeil léger et profond) et le sommeil rapide (aussi appelé sommeil paradoxal ou sommeil MOR pour mouvements oculaires rapides).

Voici ce qui se produit en général durant le sommeil : la nuit débute par un cycle de **sommeil profond** de 90 minutes environ. Durant ces moments de récupération, le cerveau fonctionne au ralenti. Puis, survient le rêve, appelé **sommeil paradoxal** ou sommeil rapide, pendant lequel on détecte des ondes cérébrales de grande activité. Cette première période de rêve est très courte, de 2 à 5 minutes en moyenne ; c'est pourquoi on se souvient très peu des premiers rêves de la nuit. Ensuite, on retombe dans un deuxième cycle de **sommeil profond ou léger** (selon le degré de fatigue), suivi d'une autre **période de rêves**, un peu plus importante cette fois-ci, et ainsi de suite. On peut dénombrer un minimum de 4 à 6 séquences de rêves par cycle de 8 heures de sommeil. Cependant, depuis 1999 les scientifiques ont la preuve que nous rêvons aussi en sommeil lent ce qui explique l'impression d'avoir rêvé pendant toute la nuit. (Voir tableau page suivante.)

Ces découvertes créent un engouement pour l'exploration rationnelle du sommeil. L'intérêt accru des scientifiques pour cette fonction naturelle amène l'apparition de laboratoires du sommeil dans plusieurs pays.

Les philosophies orientales et la science se rejoignent peu à peu pour expliquer le phénomène du rêve. Les chercheurs s'intéressent à tous ses aspects. Du simple rêve réactif déclenché en laboratoire par une cause extérieure jusqu'au rêve prémonitoire de nature plus complexe observé et vérifié rigoureusement, les expériences et les analyses éclairent les esprits curieux. La parapsychologie étudie les phénomènes « psy » et reconnaît au rêve celui de télépathie, de clairvoyance et de prémonition.

Pour Frederick Pearls, le rêve est « la voie royale de l'intégration ». Il considère le contenu du rêve comme des parties éparses de la personnalité qu'il faut rassembler pour retrouver l'unité. Par le gestaltisme, méthode de psychothérapie, il propose une démarche

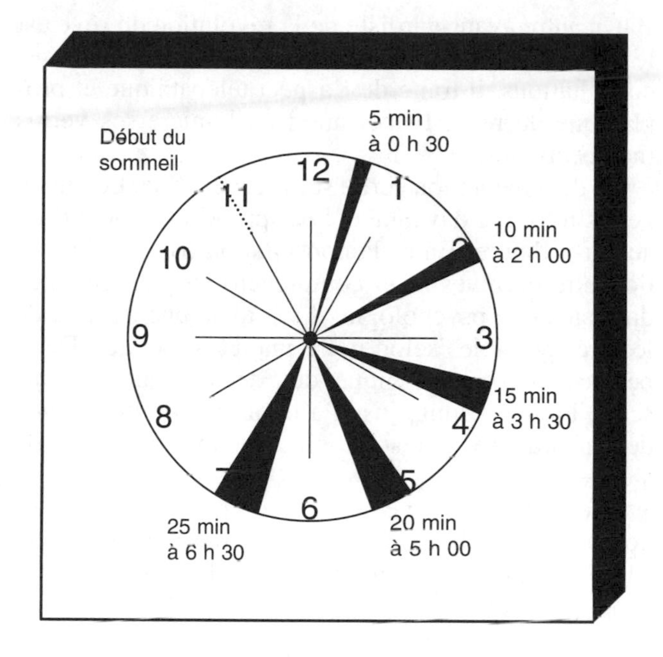

Périodes de rêves pour une nuit de sommeil de 23 h 00 à 7 h 00.

d'intégration des images du rêve afin de retrouver l'harmonie intérieure.

Le psychologue autrichien Alfred Adler refuse le concept de l'inconscient proposé par Freud et Jung. Il a une approche plus flexible et propose comme but aux rêves de renforcer le pouvoir émotionnel du rêveur. On peut dire qu'il voyait le rêve comme une « voie royale vers la conscience ». Adler admet le pouvoir créateur du rêve et sa capacité à résoudre les problèmes quotidiens. Ces aspects du rêve ont été développés par deux psychologues américaines Patricia Garfield et Gayle Delaney.

Un autre avant-gardiste de la révolution du rêve est le célèbre médium américain Edgar Cayce. Dans ses consultations, il traite de l'aspect télépathique et prophétique du rêve. Il met aussi en lumière ses vertus thérapeutiques.

La documentation écrite sur le rêve afflue. Le public peut s'informer davantage. Les approches varient d'un auteur à l'autre. Entre la consultation passive du dictionnaire de rêves et la compréhension plus élaborée du manuel de psychologie, il y a toute une gamme de lectures possibles selon notre intérêt personnel. De la perspective psychologique des deux grands précurseurs, Freud et Jung, jusqu'à la dimension biologique des laboratoires du sommeil, une information utile s'offre à nous.

D'où vient le rêve ? Pourquoi rêvons-nous ? Les nombreuses recherches sur le cerveau nous éclairent sur cette aptitude commune à tous les humains et à certains animaux.

LE CERVEAU

Organe situé dans le crâne, il comporte deux hémisphères : le droit et le gauche. Chacun possède des fonctions spécifiques. Le cerveau gauche est le siège de la parole. Il choisit les mots pour désigner une image, pour décrire une action ou pour exprimer une pensée. Il est logique, rationnel et analytique. L'hémisphère droit est le siège de l'intuition. Il génère des images, des impressions et des sentiments. À l'inverse de son jumeau cohérent et méthodique, le cerveau droit se distingue par son illogisme, son désordre et son irrationalité, qui se révèlent par des images qui jaillissent spontanément, sans lien apparent avec la réalité.

À l'état d'éveil, l'hémisphère gauche se met en action par la parole, le raisonnement et la logique. Surgit alors une intuition. Vous êtes instantanément catapulté en mode droit par l'information qui provient d'une image, d'une sensation ou d'un sentiment.

Pendant le sommeil, l'inverse se produit. Le rôle analytique du cerveau gauche fait relâche et cède sa place aux fonctions intuitives du cerveau droit. Celui-ci peut alors percevoir l'ensemble et capter la totalité de notre être.

Puisque l'imagerie en provenance de l'hémisphère droit produit des scénarios fantaisistes et désordonnés, le rêve prend parfois des allures farfelues et même déraisonnables. Il ne faut pas s'étonner si au réveil la raison nous dit que le rêve est incohérent, illogique ou stupide. Même dans son absurdité apparente, il véhicule une profonde sagesse :

> *L'humain est le seul être doué de déraison ; il aime et même a besoin de magie autant que de raison ; le rêve lui offre et lui apporte ainsi chaque nuit ce merveilleux désordre et cette folie provisoire qui est finalement grande sagesse**.

Ces fonctions particulières reliées à chacun des lobes du cerveau nous éclairent sur le processus de la pensée variant d'un état à l'autre, celui de veille et celui de rêve. La nuit, la faculté intuitive et imaginative se libère du carcan de la raison, s'envole dans le monde magique des images et crée ainsi notre cinéma intime, le rêve.

---

* Fluchaire, Pierre, *La Révolution du rêve*, Éditions Dangles, Saint-Jean-de-Braye, 1985, p. 49.

LE VOYAGE INTÉRIEUR

Cette modification de la conscience durant le sommeil peut se comparer à la libération de la pensée créatrice. Grâce au rêve, l'âme voyage dans ses mondes intérieurs et expérimente librement des réalités subjectives qui lui appartiennent. Elle ressent avec force, elle vit avec intensité et elle voit avec clarté.

Lorsque dans le sommeil l'homme ferme ses yeux charnels extérieurs, son âme voit la vérité en songe[*].

Cela nous amène à définir quelles sont les deux forces qui sous-tendent nos expériences extérieures (vie éveillée) et intérieures (rêves). D'abord, une force progressive : l'âme; puis, une force régressive : l'ego. Ces deux éléments sont essentiels et inhérents à notre évolution : ils se complètent pour promouvoir la vie sur tous les plans de l'existence. La personnalité mentale de l'individu se divise en deux parties, celle qui observe, la faculté critique appelée l'ego, le moi. La seconde, l'âme, représente l'être intérieur, le soi.

L'EGO

Indispensable à notre survie dans les mondes de matière, d'espace et de temps, l'ego maintient une certaine stabilité entre le physique et le spirituel. L'ego est pris en charge dès notre naissance par nos parents et ses fonctions sont établies par eux et demeurent dans le subconscient. Ainsi, l'ego tend à renforcer les

---

* Von Franz, Marie-Louise, *Rêves d'hier et d'aujourd'hui*, Éditions Albin Michel, Paris, 1992, p. 14.

idéaux de la famille qui sont une réflexion de la société, de l'éducation et des coutumes.

L'ego est aussi appelé « le principe du plaisir ». Il cherche continuellement la satisfaction. À l'image du petit enfant, il réclame toute l'attention sur lui. Il tend à éloigner, à détruire même tout ce qui nuit à son bien-être.

Dans la vie éveillée, notre éducation sert à dompter cette force égocentrique. La morale et les lois tempèrent cette énergie, qui peut devenir dangereuse pour autrui si elle n'est pas contrôlée. Mais, à l'état de rêve, le principe du plaisir laisse libre cours à nos besoins inassouvis ou réprimés. L'effet compensateur maintient ainsi l'équilibre psychique du rêveur. Le pauvre devient millionnaire, le malade regorge de santé, le craintif se transforme en héros sans peur et la victime se fait bourreau. Ces manifestations de l'ego préviennent les désordres d'une vie éveillée trop difficile.

L'ÂME

L'âme est la partie divine qui existe à l'intérieur de chaque être vivant. Étant de nature identique à l'esprit, elle en possède les mêmes attributs. Elle est immortelle, invincible et illimitée. On peut comparer ce lien entre l'esprit et l'âme à celui de l'océan et de la goutte d'eau. Les deux ont la même formule chimique, H_2O, mais chacun dispose d'un pouvoir différent.

À l'image de son Créateur, l'âme possède les qualités reliées à la sagesse, l'amour et la liberté, mais à des degrés variables, selon notre éveil spirituel. Cette étincelle divine qui nous habite tend à se manifester par le désir d'évolution, de créativité et par le don de soi. L'adaptation au changement lui procure des occasions de développement qui en appellent à ses capacités illimitées. L'âme est une entité heureuse, elle existe à cause de l'amour de Dieu pour elle.

Notre nature divine nous oblige à devenir de plus en plus conscients.

*L'âme est la conscience, l'entité, l'état d'être qui est conscient de lui-même**.

Pour différentes raisons, certaines expériences vécues prennent le chemin de l'oubli et sont emmagasinées dans le subconscient. Le rêve devient alors le révélateur d'un bagage qui nous appartient afin de prendre conscience de ce contenu relégué aux oubliettes.

À l'état de rêve, l'âme est l'observatrice neutre qui regarde le déroulement des intrigues aux allures diverses, du comique au tragique. Cette perception sans jugement qui ne blâme ni ne condamne prend conscience des données révélées par l'imagerie onirique. Elle voit objectivement. C'est aussi elle qui fait dire au réveil : « J'avais l'impression qu'une partie de moi observait la scène avec détachement et neutralité. »

LE CENSEUR

Une troisième force agissant sous nos expériences prend la forme plus ou moins rigide de l'éducation reçue. Ce principe moral, le censeur, conditionne notre regard et formule nos opinions.

Constitué de tous les interdits reçus, formé selon la morale enseignée, le censeur influence la personnalité

---

* Twitchell, Paul, *La Flûte de Dieu*, Eckankar, Minneapolis, 1978, p. 47.

de chacun et veille sans relâche sur la conscience. Il la protège de la brutale franchise de l'inconscient sans morale.

Plus ou moins rigide selon le degré de permissivité que l'on s'accorde, le censeur bloque totalement ou en partie le contenu du rêve. Plus une personne connaît les besoins de l'ego et de l'âme dans sa vie éveillée, plus son censeur laisse passer l'information sans l'altérer.

Le rôle protecteur du censeur provoque parfois la déformation, l'exagération ou la falsification de la véritable action perpétrée en rêve. Le symbole devient ici utilitaire dans le but de ne pas choquer la conscience du rêveur.

Puisque l'âme voyage dans les mondes intérieurs, elle expérimente d'autres dimensions de conscience ou plans intérieurs. Paul Twitchell* offre une description détaillée de ces dimensions. En voici un bref aperçu.

PLAN ASTRAL

Première destination de l'âme libérée grâce au sommeil, ce plan est le plus proche du plan physique. Il est le siège des émotions et de l'imagination. C'est un monde de splendeurs ou de tourments, selon les émotions positives ou négatives qui y règnent.

Dans son exploration, l'âme voyageuse observe l'état émotionnel du corps astral. Cela donne lieu à des images reflétant les conditions plus ou moins harmonieuses de ce corps subtil, celui des sentiments. Les

---

* Twitchell, Paul, *La Griffe de tigre*, Eckankar, Minneapolis, 1967, 105 p.

rêves compensateurs font partie de cette dimension. Nous en verrons la description.

PLAN CAUSAL

Il se nomme ainsi en raison des facteurs cause et effet qui dominent ce plan. Il est aussi plus subtil en termes de vibrations que le précédent. Cette dimension appartenant à la trame temporelle permet à l'âme de voyager dans le temps ; passé, présent et futur lui sont accessibles.

Que ce soit un saut furtif dans une période de l'enfance ou un bond en avant pour explorer l'avenir, le rêve devient un outil de compréhension et d'information. Le regard objectif de l'âme sur ces événements est un privilège accordé par le rêve temporel.

PLAN MENTAL

C'est le monde de l'intellect, des pensées, des images et des symboles. Une partie de l'inconscient collectif décrit par Jung appartient à cette dimension.

Il recèle de nombreuses connaissances auxquelles le rêve donne accès. Les chercheurs et les savants le visitent pour résoudre certains problèmes. Dans cette dimension, la communication facilitée donne lieu au rêve télépathique.

PLAN SPIRITUEL

Au-delà des mondes de matière, d'énergie, d'espace et de temps, existent les mondes spirituels purs. Ils sont constitués de lumière pure et de sons divins.

Tant que l'âme habite les véhicules des corps physique, astral, causal et mental, elle ne peut y faire que de brefs séjours. Ces courtes visites donnent lieu aux rêves spirituels.

Pourquoi le rêve et la spiritualité sont-ils si étroitement liés ? Le jour, la conscience éveillée fonctionne dans les limites des croyances imposées, dans un conditionnement établi par l'éducation. La nuit, la conscience dégagée des contraintes extérieures des comportements appris se déploie dans sa totalité, c'est-à-dire dans son individualité qui est la somme de toutes ses expériences passées. La conscience de rêve se compare au papillon libéré de son cocon qui s'envole enfin librement dans l'immensité de la nature lui offrant nourriture et liberté. Ainsi, chaque nuit, l'âme se nourrit à la source même de l'énergie spirituelle et profite de la liberté momentanée mise à sa disposition.

Tout le monde a accès aux rêves spirituels. Vous pouvez les favoriser par une demande ou un postulat, technique qui sera étudiée ultérieurement. Par un désir sincère d'évoluer spirituellement, chaque nuit le monde de vos rêves vous donne accès à une vue surplombante des conditions qui prévalent dans votre vie. Le regard objectif de l'âme pointe les lacunes et repère les solutions possibles. Ce périple dans vos univers intérieurs est un cadeau inestimable. Du courage pour regarder en face les réalités observées, de la discipline pour les noter et de la persévérance pour agir sont des préalables pour cheminer vers un plus grand épanouissement.

Permettez à vos rêves de vous enseigner et de vous guider. Ils portent des semences de guérison et recèlent des trésors de nature spirituelle dont la sagesse, l'amour et la liberté. Ces vitamines nocturnes sont des ressources devant les défis quotidiens, les responsabilités croissantes et les changements perpétuels. La vie est un terrain d'entraînement pour l'âme et la nuit lui offre un moment de répit pour comprendre, apprendre et se ressourcer.

2

Les catégories de rêves

Le but ultime de l'âme est de développer son potentiel illimité afin de retourner à son foyer d'origine, poétiquement appelé le « cœur de Dieu ».

Les expériences à l'état de rêve se fractionnent en diverses catégories. La présente liste n'est pas exhaustive et il est impossible de tout classifier, surtout lorsqu'on aborde le domaine du vécu personnel. Par contre, cette nomenclature a l'avantage d'identifier les principales divisions des mondes intérieurs, là où le rêveur expérimente.

RÊVES RÉACTIFS

Ce sont les rêves les plus simples à reconnaître, car ils sont provoqués par une cause physique, externe au rêveur. On les appelle **réactifs** parce qu'ils **réagissent** à l'environnement : à la température de la pièce où vous dormez, au bruit distrayant causé par la pluie sur le toit ou au ronflement du conjoint. Ces rêves peuvent aussi être engendrés par un état physiologique : une digestion difficile, une vessie trop remplie ou une fièvre soudaine, ou provenir d'une situation physique provoquée par un vêtement encombrant ou trop serré.

Les rêves réactifs ne demandent aucune analyse profonde, sinon l'identification de la cause qui perturbe le dormeur. Une façon de détecter un rêve réactif est de constater une certaine absurdité de l'imagerie. L'ensemble paraît vide de sens et incohérent. Ce phénomène se produit particulièrement en cas de fièvre et lors de certaines maladies : le corps réagit contre ses propres tensions.

Par exemple : vous rêvez que vous marchez sur un terrain désertique à la recherche d'une source pour vous désaltérer ; au réveil, vous avez une soif terrible. Cela ne signifie pas que votre vie soit un désert. Le corps vous signale qu'il est déshydraté et un peu d'eau le soulagera.

Dans les laboratoires du sommeil, cette catégorie de rêve a souvent été mise en évidence. Au moment où apparaît une période de sommeil paradoxal, c'est-à-dire le début d'un rêve, un stimulus externe est créé par les observateurs. Par la suite, on réveille le dormeur et généralement la scène de rêve racontée contient un élément relié au facteur provoqué.

On constate que le cerveau endormi garde un contact partiel avec l'environnement par le canal des sens. Ainsi, le rêve incorpore des éléments sensoriels à la scène qui se joue dans la conscience du rêveur.

> « Je me vois tomber dans une enceinte remplie d'huile. Au réveil, je garde un sentiment d'oppression avec la nette impression que je dois passer des tests médicaux. »

Les analyses sanguines confirment les soupçons du rêveur : son taux de cholestérol est deux fois plus élevé que la normale.

RÊVES COMPENSATEURS

Les rêves compensateurs font appel à l'une des principales lois du monde psychique : **la loi de compensation**. Cette règle d'équilibre permet de maintenir un niveau émotionnel satisfaisant. Grâce à cette soupape, les expériences émotionnelles refoulées durant le jour trouvent une échappatoire durant la nuit. Cette fonction vitale du rêve favorise une bonne santé mentale.

Ce type de rêves est mis en évidence au début du siècle par Freud. À cette époque où les interdits religieux et sociaux sont fréquents, les contenus oniriques portent souvent sur les souhaits refoulés et les pensées non manifestées. Freud considère le rêve comme une représentation de l'accomplissement des désirs. Pour lui, les symboles vus en rêve sont la projection de complexes sexuels réprimés auxquels s'ajoute un sentiment de culpabilité.

Les rêves de compensation ont généralement lieu dans le corps émotionnel, aussi appelé astral, plus subtil que le corps physique et non visible. Il est le siège de toutes les émotions que nous ressentons : amour, haine, envie, désir, jalousie... qui, une fois refoulées ou ignorées, s'accumulent dans le subconscient et cherchent à se libérer à l'état de rêve.

On constate souvent que le principe du plaisir génère les rêves compensateurs. Il recherche la satisfaction et élimine sans aucune morale l'objet de frustration. La capacité à reconnaître les rêves de compensation, malgré le travail acharné du censeur pour les déguiser, vous permet de mieux vous connaître et de diminuer graduellement les conflits internes entre votre ego et votre âme. En prenant conscience des besoins de chacun, le plaisir pour l'ego et l'évolution pour l'âme, vous intégrez plus harmonieusement ces deux aspects de la dualité intérieure.

Nous retrouvons souvent dans cette catégorie les rêves de combat pour libérer l'agressivité refoulée ; les rêves de séduction pour attirer la source de notre désir et les rêves de destruction pour supprimer la cause d'un déplaisir ou d'une source d'ennuis.

Nous pouvons ajouter les rêves d'affirmation de soi servant à équilibrer une gêne paralysante ; les rêves d'action héroïque qui aident à contrecarrer une passivité malsaine, et enfin les rêves à caractère sexuel qui libèrent les tensions instinctuelles.

Nous retrouvons aussi ces rêves fous qui nous permettent de nous évader de la logique empoisonnante, de la normalité astreignante et de la routine ennuyante. Ils constituent un brin de folie nocturne qui contre-balance les bonnes manières diurnes.

Que de scénarios hallucinants ou complètement fous se créent ainsi ; des scènes tellement ridicules qu'on n'ose même pas en parler ou les noter. Ce phénomène est cependant fréquent malgré la peur de faire rire de soi ou de passer pour anormal.

Une amie raconte :

> « Je donne des cours pour chats. Je les fais parler, leur lis des contes et les fais jouer. Je leur raconte une histoire de lapin pour les endormir. Leurs parents sont entassés dans une pièce voisine et les regardent s'amuser par une grande vitre panoramique. »

Le sentiment au réveil est : amusement. Elle a tout simplement laissé vagabonder son imagination et manifesté son amour pour la race féline.

Concernant cette catégorie, retenez surtout qu'il est capital pour le psychisme de trouver des exutoires à toute forme d'énergie réprimée. La prise de conscience et l'acceptation de cette condition de survie permettent un meilleur contrôle de soi et une plus grande maîtrise des émotions qui font partie intégrante de notre vie intérieure et extérieure. Éliminer ou ignorer nos sentiments ne constitue pas une solution car ils hanteront nos nuits ; par contre, les accepter et les assumer favoriseront une meilleure santé émotionnelle.

RÊVES TEMPORELS

Élevons-nous maintenant au plan de conscience suivant, plus subtil. Celui de la dimension temporelle, siège de la mémoire, aussi appelé plan causal, qui fait référence au principe de cause à effet. Jung le désigne sous le terme d'inconscient collectif. Les religions orientalistes comme le bouddhisme mentionnent les archives akashiques. Ces annales contiennent la mémoire indestructible de toute forme de vie dans tous les Univers.

Par le rêve, vous avez donc accès à la trame du temps : le passé, le présent et le futur. De la science-fiction ? Simplement la réalité. Chaque nuit, vous voyagez dans le temps. Vous faites un grand bond dans le passé, en revivant des scènes d'enfance qui sont les causes expliquant les effets présents ; ou vous effectuez un petit saut dans le futur qui laisse entrevoir une possibilité latente d'événements ayant de fortes chances de se produire. Voilà autant de pirouettes nocturnes que votre conscience expérimente régulièrement.

Le passé

Ce retour en arrière ne se fait pas par hasard ou par pure curiosité. Derrière cet exploit, se cache toujours une bonne raison : le désir légitime de comprendre le présent. L'âme vit dans l'instant présent et, pour mieux l'assumer, elle réactive des images appartenant au passé afin de comprendre les causes qui ont créé les effets présents. Elle voyage alors sur la trame du temps et s'arrête à l'endroit précis où a été semée la graine qui a engendré les conditions actuelles. De là proviennent les rêves de vies passées. Ces rêves contiennent des images très claires, des décors anciens, des vêtements étranges et des contextes extérieurs complètement différents de l'époque actuelle.

Les jeunes enfants rêvent fréquemment de leur dernière vie, ce qui provoque souvent des cauchemars en apparence inexpliqués. Cette capacité de voyager ainsi dans le temps s'estompe au fur et à mesure qu'ils intègrent de nouvelles données dans leurs expériences quotidiennes. Depuis que j'écris mes rêves, j'ai compilé une bonne dizaine de vies antérieures vécues à diverses époques. Elles se sont manifestées parce qu'une condition bien spécifique et nécessaire à la compréhension de ma vie présente l'exigeait.

Par exemple, la première année où je commence à donner des conférences publiques, l'activité me demande un effort considérable à cause d'une gêne excessive. Je fais le rêve suivant :

> Titre : Le grand orateur
> «Dans un décor ancien, j'observe une foule de gens entassés le long d'une route en terre battue. Un homme à dos de cheval, portant redingote et haut-de-forme, s'avance en parlant très fort. Son discours impressionne les gens qui écoutent attentivement. Il est très à l'aise. Sentiment : force et aisance.»

Au réveil, je sais pertinemment que je suis ce personnage masculin. Je mets un certain temps à intégrer l'information et à faire le lien avec les conditions actuelles de ma vie. Puis, je comprends : la timidité et la gêne que je ressens lors des conférences peuvent s'atténuer grâce aux talents d'orateur d'une de mes personnalités passées. Le résultat amène une plus grande confiance en moi et une meilleure capacité de parler en public. Dans les périodes de doute, je revis cette scène où le brillant orateur éblouit une foule entière. La personne qui ne croit pas au phénomène de la réincarnation aura peu de chance d'accéder à ses vies passées. Le censeur déviera l'information ; elle oubliera son rêve ou ne le reconnaîtra tout simplement pas. Si cette notion vous dérange, n'en tenez pas compte, elle n'est pas essentielle à la pratique de l'art de rêver.

Ces rêves de vies antérieures sont très occasionnels. Par contre, ceux du passé immédiat sont plus fréquents. Ils permettent de retracer un traumatisme ancien, souvent en provenance de l'enfance, qui affecte votre qualité de vie présente. La sagesse de l'âme fera apparaître ce type de rêve au moment où vous avez la capacité d'y faire face. C'est pourquoi vous n'avez rien à craindre d'une telle résurgence. Elle se fera au moment opportun et si cela s'avère nécessaire seulement.

Le présent

Les rêves du présent sont évidemment les plus fréquents. Ils permettent d'avoir une vue d'ensemble sur votre vie, comme si vous regardiez votre existence actuelle du haut d'un nuage ou d'une station spatiale. Cette position de recul et d'objectivité permet de faire le point, d'observer les zones faibles et de repérer les secteurs forts.

Voici l'exemple d'un rêve très bref, qui m'a cependant paru très long à cause de son incessante répétition :

> Titre : Je plonge
>
> «Je suis sur un bateau à voiles portant un très grand mât qui monte haut dans le ciel. Je plonge constamment dans une mer calme et accueillante. Sentiments : bien-être et confiance.»

L'analyse fut simple et le message clair : je pouvais m'engager dans les occasions qui s'offraient à moi. Je plonge dans celles-ci, et le grand mât me relie aux énergies d'en haut, c'est-à-dire aux forces cosmiques. Le sentiment de bien-être à la fin du rêve m'indique que ce choix est en harmonie avec mes attentes.

Une professionnelle fait le rêve suivant :

> « Je suis productrice de films au cinéma et un homme travaille pour moi. Il emploie des techniques très compliquées pour réaliser une façade de maison pour un décor de rue western (saloon, hôtel, barbier). Je marche devant cette rue improvisée avec mon assistant. Tout à coup, nous voyons l'homme en flammes à l'autre bout du chantier. Deux individus le suivent avec des extincteurs chimiques et réussissent à éteindre le feu. L'homme est brûlé au troisième degré ! Il reste debout, continue à avancer, mais ses membres tombent un à un ; cependant, il ne souffre pas. Il est déçu. Il a été trop précis dans son travail alors qu'on ne lui en demandait pas tant : il s'est brûlé. »

En observant le contexte de sa vie, la rêveuse prend conscience qu'elle en fait trop et risque le *burnout*.

Ce bilan provisoire que l'on peut faire chaque nuit est un outil précieux pour se réajuster au fil des expériences. Il m'est arrivé quelquefois de ne pas tenir compte de ces renseignements et de faire des faux pas. Mais l'erreur étant un bon professeur, cela m'a permis de constater la pertinence et la justesse de mes rêves et d'augmenter ma confiance en eux. Se tromper, c'est aussi vérifier ; alors, permettez-vous ces expériences enrichissantes qui deviendront des certitudes inébranlables.

Le futur

Le phénomène du déjà-vu est cette sensation de revivre ce qui est en train de se passer. Vous avez soudain la certitude de connaître déjà ce qui va se dérouler devant vos yeux, chaque parole, chaque geste. Si une portion des événements semble avoir lieu pour une seconde fois, c'est que ce présent a déjà été visionné. Mais où et quand ? À l'état de rêve, tout simplement. Le déjà-vu provient des **rêves prophétiques,** ceux qui vous montrent un événement appartenant au futur potentiel.

Après quelques semaines d'études assidues, une amie passe un examen de fin d'année. Elle retourne le questionnaire pour lire les dernières instructions se trouvant au verso. Ce geste, elle l'a déjà fait... Ces mots, elle les a déjà lus... Sourire en coin, elle complète ses réponses, beaucoup plus sûre d'elle-même. Cet examen a déjà eu lieu en rêve, alors qu'elle étudiait la matière, ce qui l'a sûrement aidée dans sa révision.

Les rêves prophétiques passent souvent inaperçus car, en apparence, ils n'ont rien d'extraordinaire. Ils ressemblent au vécu de tous les jours et s'oublient facilement. La seule façon de les repérer consiste à relire les rêves compilés, une semaine ou plusieurs mois plus tard. Par cette méthode, j'ai réalisé que je faisais régulièrement ce type de rêve. Du simple geste anodin à l'action aux conséquences plus graves, je constate qu'ils ont été visionnés auparavant. Le phénomène du déjà-vu nous démontre sans cesse cette capacité de la conscience à jeter un bref regard sur l'avenir.

À l'état de rêve, l'âme explore un futur possible qui représente des probabilités. Ces rêves ont de fortes chances de se produire si les conditions actuelles sont maintenues. Le rêve prophétique suivant m'a aidée à faire face à une situation conflictuelle à mon travail :

> Titre : L'escalier en feu
>
> « J'arrive à mon travail et je vois dans un escalier un début d'incendie. Je décide de l'éteindre. Je réalise tout à coup qu'une de mes chaussures est brûlée. Sentiments : danger et vigilance. »

Ce rêve m'a permis d'être alerte afin d'éviter les désagréments d'une colère non contrôlée (feu) qui était sur le point de se produire (la chaussure déjà brûlée).

RÊVES PRÉMONITOIRES

Contrairement aux rêves prophétiques dont le futur potentiel est changeable dès que nous modifions les conditions présentes, les rêves dits **prémonitoires** annoncent des événements qu'on ne peut éviter car ils appartiennent au destin. Ils relèvent de la **prémonition**. David Ryback, éminent psychothérapeute reconnu dans les universités américaines pour ses nombreux travaux sur les rêves, démontre dans son livre* l'existence de ce type de rêves d'une façon rigoureuse et vérifiable. Il explique ce que les scientifiques appellent la « mémoire du futur » afin de comprendre le phénomène de la prémonition par le rêve. Ses recherches suggèrent qu'au moins 1 personne sur 12 possède cette aptitude.

Pour différencier les rêves prémonitoires de la catégorie des rêves prophétiques, il faut faire appel à l'intuition, cette petite voix intérieure qui ne se trompe jamais. L'intuition, c'est le chuchotement de l'âme qui divulgue des certitudes qu'on ne peut réfuter. Ainsi, lorsqu'un tel rêve se produit, une conviction intérieure chasse tous les doutes et vous savez que ce rêve prémonitoire vous prépare à une éventualité.

Certaines personnes réussissent à faire ce genre de rêves mieux que d'autres. Elles préféreraient souvent ignorer ce don, c'est pourquoi elles ont l'impression de ne percevoir que des événements tristes ou tra-

---

* Ryback, David et Letitia Sweitzer, *Les Rêves prémonitoires*, Éditions Sand, Paris, 1990, 249 p.

giques, comme la mort d'un être cher. En réalité, elles sont privilégiées car elles ont la possibilité d'être préparées à mieux faire face à ces circonstances éprouvantes.

Mon amie est embauchée dans une entreprise. Ses compagnes de travail sont très gentilles, à l'exception d'une qui exaspère tout le monde. Cette nuit-là, elle voit la voiture de la mégère se lancer dans un précipice, causant la mort de cette dernière. Une semaine plus tard, l'événement s'est produit, exactement comme elle l'avait vu.

Lorsqu'elle a observé cette scène en rêve, elle a d'abord cru à un rêve compensateur, puisque la femme avait été exécrable avec elle. Quelques jours plus tard, elle a constaté qu'il s'agissait d'un rêve prémonitoire.

Que ce soient des rêves prophétiques ou prémonitoires, considérez-les comme des poteaux indicateurs de l'avenir et soyez reconnaissant que vos nuits vous éclairent ainsi sur votre devenir.

Voici l'exemple d'une femme de 30 ans, célibataire, qui rêve :

> «Je suis dans une soirée et des amis me présentent mon futur mari. Je ne vois pas son visage, mais je remarque une cicatrice très prononcée à l'aine droite de mon cavalier.»

Quelques jours plus tard, une ancienne amie lui téléphone pour lui dire qu'elle a un prétendant à lui présenter. La rêveuse est tout étonnée. En riant, elle s'informe si l'homme a une cicatrice à l'aine droite. L'amie est confuse, il s'agit de son patron et elle ignore ce détail. Après quelques minutes, elle rappelle pour lui confirmer la présence de la cicatrice. La rencontre se fait dès le samedi suivant et le mariage est célébré un an plus tard.

RÊVES TÉLÉPATHIQUES

À un autre niveau de perception encore plus subtil ou élevé, on retrouve les rêves télépathiques. Ce niveau de conscience est appelé plan mental et il est en relation avec le monde des pensées, de l'intellect. C'est une dimension plus vaste que les deux précédentes et elle est le siège d'une majorité de phénomènes psychiques, dont la **télépathie**.

Le phénomène de télépathie se résume à un échange de pensées d'un sujet à un autre sans que la communication s'établisse par les voies sensorielles connues. Ces phénomènes peuvent avoir lieu avec des personnes que l'on connaît, avec des entités qui sont décédées ou avec des êtres qui ne nous sont familiers que dans le monde onirique. Il est possible que le rêve se déroule dans un monde dans lequel nous avons une vie parallèle à la vie physique, qui soit sur son propre plan aussi réelle que celle que nous connaissons mieux[*].

Dans cette catégorie de rêves, on retrouve deux types de télépathie. La première, la communication avec soi-même, et la seconde, la communication avec les autres.

AVEC SOI-MÊME

C'est le genre de rêve où une partie de soi, plus sage, communique avec une autre, plus frivole. On peut aussi dire que l'âme échange de l'information avec ses corps ou véhicules : le corps émotionnel ou astral, le corps mémoire ou causal et le corps mental ou

---

* Landreux-Valabrègue, Jackie, *Changer ses nuits — Changer sa vie*, Éditions Alain Brêthe, Paris, 1992, p. 78.

intellect. L'âme transmet ainsi des données précieuses auxquelles elle a accès. Nos grands-parents disaient souvent cette parole de sagesse : « Endors-toi sur ton problème et tu auras la solution au réveil. » La formule est simple et efficace, il suffit d'avoir confiance et le tour est joué.

C'est un type de rêve pour lequel j'ai beaucoup d'inclination, car il apporte un aspect pratique aux difficultés quotidiennes. J'entretiens un lien étroit avec les confidences de la nuit qui portent conseil. Cet échange franc et intime du grand soi avec le petit moi nous permet d'élaborer notre propre philosophie de la vie et d'établir des objectifs individuels.

AVEC LES AUTRES

Un des aspects fascinants du rêve télépathique a rapport avec la rencontre de personnes que l'on côtoie régulièrement. La communication est facilitée car nous sommes beaucoup plus réceptifs à l'état de rêve que dans notre vie éveillée. Le jour, on porte des masques, on joue à être quelqu'un d'autre, on n'ose pas se dévoiler par peur d'être blessé et pour se protéger. La nuit, les masques tombent, la personnalité fait place à l'individualité, favorisant ainsi les échanges.

Les personnes vues en rêve sont réelles, elles existent dans notre vie de tous les jours. Les gestes, cependant, peuvent être symboliques dans le **but** de donner un maximum d'informations dans un minimum de temps, une qualité inestimable du rêve.

Le rêve télépathique permet d'harmoniser vos relations avec l'entourage, la famille, les amis et les collègues de travail. Nous verrons cette fonction plus en détail.

Par ce type de rêve, beaucoup de personnes entrent en communication avec des parents ou amis décédés. La télépathie étant facilitée par l'esprit conscient qui dort, le défunt ou la défunte peut en profiter pour s'adresser à l'âme du rêveur. Ce phénomène est extrêmement fréquent mais il est souvent réduit à un rêve sans importance, à une fabulation de l'imagination ou à un simple désir.

J'avais 16 ans lorsque ma mère est décédée et, à cet âge, je n'avais aucune notion de la vie après la mort. Malgré mon ignorance et mon innocence, j'avais la nette impression que ma mère continuait de communiquer avec moi par l'intermédiaire du rêve. Je recevais ses sages conseils pour aider notre famille de cinq enfants à rester unie auprès de notre père. Bien sûr, je n'en parlais à personne par crainte du ridicule.

Quelques années plus tard, une amie m'a offert un volume traitant de la réincarnation et, sans le moindre doute, cette notion m'a paru très logique. Au fil des ans, la communication avec ma mère s'est poursuivie, quoique de plus en plus espacée. Une nuit, je fis le rêve suivant :

> Titre : La dernière visite de maman
>
> «Maman vient me faire ses adieux. Elle me dit qu'elle part pour un long voyage. Je lui demande si elle a tout ce dont elle a besoin, elle me rassure. Elle me serre très fort dans ses bras. L'amour qui se dégage de ce moment unique ne laisse aucune place à la tristesse ou à la douleur de la séparation.»

Au réveil, j'étais tellement remplie d'amour que ce sentiment élevant m'a habitée durant plusieurs jours. Par la suite, je n'ai jamais revu ma mère dans mes rêves.

Une amie dont la tante de 82 ans était invalide depuis huit ans fait le rêve suivant :

« Je vois ma tante bien portante, en bonne santé et chaleureuse comme à l'époque où elle nous visitait, quand j'étais enfant. Elle est radieuse et remplie d'amour. Nous sommes toutes les deux très heureuses d'être ensemble. Je lui dis : Il faudrait bien que j'étudie les prières du *Bardöh Thodöl* (livre des morts tibétain) pour pouvoir les réciter lorsque vous mourrez. »

Deux jours plus tard, la rêveuse apprend que sa tante avait rendu l'âme la nuit même où elle avait fait ce rêve.

Ce type de communication peut aussi se produire avec un animal domestique à qui nous sommes très attachés. Les rêves télépathiques sont un atout à notre bien-être et un outil pour toute forme de communication. Soyez à l'écoute, on vous parle !

RÊVES SPIRITUELS

Les rêves spirituels se rapportent à votre développement intérieur. L'âme, la partie divine qui est en constante évolution, possède différentes enveloppes ou vêtements protecteurs dont le corps astral, causal et mental. Ces corps protecteurs lui servent à expérimenter dans les mondes de matière, d'espace et de temps. Son but ultime est de développer son potentiel illimité afin de retourner à son foyer d'origine, poétiquement appelé le « cœur de Dieu ».

À chaque envolée dans les mondes oniriques, vous acquérez une expérience nouvelle et des informations supplémentaires. Ces voyages intérieurs vous dévoilent l'ampleur de vos émotions grâce à un scénario appartenant au monde astral, siège des émotions et de l'imagination. Un rêve temporel vous transporte sur la trame du temps et vous ramène à une époque évoquant la source ou la cause d'un problème actuel à régler. Si, par contre, le voyage se fait en avant dans le temps, un rêve prophétique vous indique une conséquence à envisager découlant de vos actions présentes. Par le rêve télépathique, vous pouvez aussi régler un conflit avec un tiers, rétablir une communication, comprendre le point de vue d'une autre personne. Les échanges sur le plan mental se font aisément, puisque les interférences émotionnelles sont éliminées.

En quoi un rêve est-il plus spirituel qu'un autre ? En réalité, ils le sont tous mais à des degrés variables. Selon le niveau d'expérimentation onirique, les rêves spirituels sont une source d'inspiration à la fois nourricière et stimulante. Ils engendrent une plus grande autonomie à cause des prises de conscience qui en résultent. Comment trouver ma vraie nature divine ? Pourquoi je vis telle épreuve si difficile ? Comment augmenter ma vitalité spirituelle afin de mieux faire face aux défis de la vie quotidienne ?

Par le biais des rêves, l'âme a accès à d'autres dimensions ou niveaux de perception.

Dans le rêve se déroulant sur le plan astral, l'émotion joue un rôle clé. Le rêveur est impliqué de façon émotive. Il prend conscience de ses sentiments par des scénarios appropriés. Il apprend à maîtriser ses émotions grâce à des mises en scène pertinentes. Du rêve agréable au cauchemar, chaque séquence devient une occasion d'expérimenter sa capacité de contrôle. Une autre facette intéressante du rêve spirituel associé au plan astral est l'apprentissage du détachement, l'aptitude à laisser aller afin de progresser vers du nouveau.

Plusieurs types de rêves permettent d'identifier le niveau de conscience astrale. On retrouve entre autres les rêves d'envol et les rêves lucides.

Rêves d'envol

Les rêves dans lesquels vous volez, planez comme un oiseau, échappez à l'attraction terrestre, sautez et demeurez dans les airs sont autant d'actions symbolisant la liberté intérieure à laquelle vous avez accès. Ces rêves d'apesanteur sont parfois appelés projection astrale car ils suggèrent que le corps astral se libère du corps physique et jouit des conditions relatives à cette dimension.

Si vous n'avez pas encore expérimenté de voler en rêve avec le merveilleux sentiment de liberté qui l'accompagne, vous pouvez l'induire en faisant le postulat suivant : « Cette nuit, je volerai dans mes rêves. » Si l'expérience n'a pas lieu, continuez la suggestion car le subconscient peut prendre de quelques jours à 3 semaines avant d'accepter une nouvelle donnée. Une femme de 38 ans m'a confié ces 3 rêves qui contiennent des variantes à la technique de vol :

> « J'apprends à une amie les gestes qu'il faut faire pour voler car pour moi c'est très facile, mais pour elle ça ne fonctionne pas vraiment. »

> « Je lui démontre qu'on peut voler à l'aide d'un tapis (comme un tapis magique). Nous nous promenons, c'est magnifique ! Je l'enseigne aussi à mon conjoint. Je lui explique le fonctionnement, mais il ne nous reste que de petits bouts de tapis. Malgré tout, nous arrivons à voler. »

> « Je suis assise sur les ailes d'un avion. Je vois la mer en bas. C'est beau, mais je suis un peu craintive. J'aperçois une personne sur l'autre aile qui semble très à l'aise. Je lui parle. Puis, j'ai envie de revenir dans l'avion et je me demande comment y arriver sans tomber. »

Rêves lucides

Appelé aussi rêve conscient, le rêve lucide est celui dans lequel vous avez conscience de rêver. Vous avez la possibilité d'y exercer votre volonté.

Par le rêve lucide, vous pouvez modifier le scénario qui se déroule devant votre conscience. Les images déplaisantes peuvent se changer en scènes agréables, la menace devenir inoffensive et une fin tragique se transformer en déroulement heureux. Ce pouvoir sur l'imagerie reflète votre capacité de devenir cause plutôt que de demeurer l'effet des événements et des circonstances. Cette habileté à l'état de rêve entraîne inévitablement un plus grand contrôle à l'état d'éveil.

Une dame raconte ce rêve lucide :

> « Je suis tout à coup devant un escalier : j'entreprends ma descente lorsque je réalise qu'il manque au moins cinq marches. J'ai conscience que je rêve et j'agis aussitôt : je fais apparaître des marches au fur et à mesure que j'en ai besoin. Je modifie mon rêve consciemment. »

Le rêve lucide devient donc un outil de maîtrise de soi et permet de résoudre d'une façon créative les problèmes quotidiens.

La flexibilité et la confiance en soi, que la lucidité entraîne dans son sillage, constituent une source considérable d'accroissement de la capacité du rêveur à maîtriser les situations qui se présentent en rêve[*].

Dans la dimension suivante, celle du plan causal, les rêves spirituels se déroulent sur la trame du temps. D'abord, il est possible d'entrevoir une portion de vie antérieure qui amène un éclairage nouveau sur votre présent.

---

* Laberge, Stephen, *Le Rêve lucide*, Éditions Oniros, Île Saint-Denis, 1991, p. 201.

Un homme de 42 ans aux prises avec une peur irraisonnée de l'eau et qui déteste les baignades a fait le rêve suivant :

> «Je suis sur un navire et je dirige une équipe de travail. Le son strident d'une alarme se fait entendre et la panique s'installe dans tout l'équipage. J'entends un bruit infernal puis je sens l'eau m'envahir de tous côtés. Je meurs noyé.»

La clarté des images et la force des émotions suggèrent la réminiscence d'une vie antérieure. Cette portion du passé lui fournit une explication à sa peur incontrôlée de l'eau. De tels rêves ne se manifestent que pour aider la personne concernée à comprendre les conditions de son vécu présent. Entrevoir la cause permet de dénouer des situations conflictuelles engendrées dans un passé plus ou moins lointain.

Dans un rêve touchant un événement du futur, vous pouvez utiliser votre pouvoir d'agir, votre liberté d'action. En modifiant les conditions actuelles de votre vie qui laissent présager un tel futur, vous changez les probabilités annoncées par le rêve prophétique. Ce potentiel d'action appartient à l'âme et relève de ses capacités d'agir au lieu de réagir.

Les rêves spirituels appartenant au plan mental sont de nature plus raffinée et sont teintés d'analyse logique. Ils donnent accès à un plus grand réservoir de connaissances. La pensée se libère du carcan des limites imposées par la conscience de veille assujettie à un conditionnement parfois restrictif. Dans la dimension mentale, les questions ont généralement leur réponse, les difficultés s'aplanissent et les solutions apparaissent aisément. Les chercheurs, les scientifiques de même que les artistes y puisent souvent matière à création. Ils s'inspirent de données additionnelles qui éclairent sous un jour nouveau leur démarche.

Les rêves télépathiques permettent une meilleure communication qui favorise la compréhension et l'harmonie. La rencontre amorcée débouche souvent sur un plus grand respect de l'autre et de ses choix.

Dans cette dimension, vous avez la possibilité de rencontrer des guides de lumière qui communiquent par télépathie pour vous enseigner des connaissances nouvelles. Celles-ci élargissent votre champ de perception et favorisent votre épanouissement.

Sur le plan de l'âme, se situent les véritables rêves spirituels. Ici, il y a absence totale de matière, d'espace et de temps. L'âme jouit d'une liberté complète et expérimente l'amour inconditionnel. Dans cette dimension lumineuse, vous baignez dans un état de profonde béatitude et de sérénité. C'est un moment privilégié pour vous recharger spirituellement. Ce moment de répit favorise parfois une guérison.

Dans la Grèce antique, les gens venaient de partout pour recevoir des guérisons grâce au rituel de l'incubation onirique. Il s'agissait de dormir dans l'un des nombreux temples dédiés à Esculape, dieu de la médecine.

De nos jours, l'incubation en rêve se fait dans l'intimité de notre demeure. Juste avant le sommeil, prenez le temps de penser à ce qui vous préoccupe et soyez assuré que votre subconscient, guidé par la sagesse de l'âme, vous conseillera et vous informera par l'intermédiaire du rêve. Ainsi, la solution ou la nouvelle perspective obtenue vous permettra de résoudre les conflits ou inquiétudes précédents.

À titre d'exemple de rêve de guérison, voici l'expérience de Simon. À 17 ans, Simon fait un voyage en France d'une durée de 1 mois. Il y rencontre une jeune Hollandaise; il s'attache à elle et en devient amoureux. Au retour des 4 «plus belles semaines de sa vie», il a de la difficulté à décrocher de cette expérience. Éloigné de la personne aimée, il est en proie à une immense tristesse qui le rend passif et inactif. Un mois plus tard, il fait le rêve suivant :

«Je suis dans une salle d'attente située à l'étage supérieur de l'ancienne maison de mes grands-parents maternels. La salle, sans décoration, contient quelques chaises le long des murs blancs sans fenêtre. Le plancher est en bois et la pièce éclairée par une lumière tamisée.

Je suis assis sur une chaise, en compagnie de quelques autres personnes auxquelles je ne prête pas attention. Sur le mur à ma gauche, j'aperçois une ouverture, un cadre de porte sans porte. Je ne peux cependant pas voir de l'autre côté.

Je ressens une tristesse et une énorme lassitude. En fait, je suis conscient que cette salle d'attente est réservée aux personnes prêtes à mourir. Je le suis (dans mon rêve, non dans la réalité). Dans ma tête, j'entends une voix qui annonce le nom de la prochaine personne. L'homme à côté de moi tressaille. Il n'ose pas se lever et son hésitation m'exaspère. Alors, une voix résonne dans ma tête et me dit qu'elle sait que je suis prêt et que je n'hésiterai pas. Elle m'enjoint donc d'y aller.

Je me lève, traverse l'ouverture, descends l'escalier de la maison de mes grands-parents et, arrivé aux dernières marches, je m'arrête. Sur ma droite, de l'autre côté de la salle, un homme est assis sur un divan. Il a les cheveux longs, une petite moustache et une courte barbe. Il est tout en lumière et il se dégage de lui une aura de chaleur et de sérénité. Lorsqu'il me parle, sa bouche ne bouge pas. J'entends sa voix dans ma tête, grave et douce, pleine de sollicitude et de compassion. Elle est très apaisante. J'ai conscience de la présence d'autres personnes que je ne vois pas.

Toujours par télépathie, il me dit quelque chose comme : “Bienvenue parmi nous. N'aie pas peur, nous sommes ici pour t'aider, te libérer. Nous connaissons ta tristesse et savons que tu es prêt à mourir. Mais d'abord, viens à mes côtés, nous allons réviser ta vie, instant par instant, les bons moments et les mauvais." J'avance donc jusqu'à lui, et nous passons en revue ma vie.

Ensuite, il me fait passer des tests. Je ne me souviens pas dans quel but et ne me rappelle que d'un seul. Je vois mes mains tenant un morceau de cantaloup. Tout le reste est nébuleux. Il me dit que je dois mordre dans le cantaloup et sculpter la Hollande avec mes dents. Je m'exécute. Puis il revient, me donne une gourde bleue en me disant que ce n'est pas la mort que je suis venu chercher, mais une purification. Il me dit que la gourde contient toutes les mauvaises choses de ma vie, les expériences négatives, tout ce qui fait du mal, et que, pour m'en débarrasser, je dois simplement la vider. En la vidant, je vois de l'eau et une pâte blanche sortir.

Dès qu'elle est vide, je sens en moi une béatitude incroyable et indescriptible. Je me sens serein, calme, léger, au chaud, neuf. Jamais je n'ai été aussi bien. Je revois alors l'homme. Il n'est plus du tout en lumière. Il est redevenu normal et il monte un escalier roulant. Il me dit que son travail est terminé, me souhaite bonne chance et part sans rien demander en retour. »

Au réveil, Simon sait tout de suite qu'il est libéré du chagrin de son retour de voyage. Il se sent bien toute la journée.

Dans ce long rêve, plusieurs aspects de nature spirituelle sont abordés. On débute par la préparation à mourir, donc à se transformer, à laisser tomber une partie de sa personnalité. Ensuite, il y a la rencontre avec l'homme lumineux qui agit comme guide et thérapeute. L'expérience de faire le bilan de sa vie est un privilège que les personnes sur le point de mourir accomplissent habituellement. Simon passe aussi des tests symbolisant l'initiation intérieure qui amène des changements dans la conscience du rêveur. Le cantaloup dans lequel il mord et sculpte la Hollande pourrait représenter l'aspect sensuel de sa relation avec la jeune Hollandaise ou encore sa capacité à mordre à nouveau dans la vie. Finalement, la gourde qu'il vide de son contenu achève sa guérison jusque dans son corps mental indiqué par la couleur bleue de celle-ci.

Après un certain temps d'expérimentation, j'ai acquis la certitude du pouvoir de guérison à l'état de rêve et j'ai dû même y faire appel en toute urgence. Je suis en voyage avec un groupe d'amis quand je dois faire face à un chagrin d'amour. Ne voulant pas gâcher le reste de mes vacances par cette peine inattendue et terriblement douloureuse, je fais l'effort de regarder la situation en face et d'accepter cette peine causée par ma naïveté. Puis, je demande à mon guide intérieur de panser mes plaies le plus vite possible afin de vivre harmonieusement le reste du voyage. La nuit suivante, je rêve à l'homme aimé et à un personnage bienveillant qui m'explique la cause de mon désarroi. Le lendemain, au réveil, mes pensées douloureuses se sont envolées pour faire place à un profond sentiment de paix. J'accepte, sans ressentir la souffrance de la veille, que la personne aimée s'éloigne de moi. Preuve que la guérison est bien amorcée, je me réjouis même de son nouveau bonheur. Quel soulagement !

Un facteur commun dans ces rêves inspirants est la présence de la lumière représentée par différents symboles, dont le soleil, la clarté éblouissante du jour, les astres, un faisceau lumineux aveuglant, un objet brillant. Cette lumière témoigne de l'omniprésence de l'Esprit. Il y a aussi la présence du son, représentée par des paroles bienfaisantes venant d'une source connue ou inconnue, par des musiques célestes aux sonorités élevantes ou par les sons de la nature qui régénèrent nos forces intérieures. Il peut s'agir d'un seul et unique mot qui résonne sans cesse afin d'éveiller une nouvelle aptitude ou un potentiel ignoré jusqu'à maintenant. Une femme de 38 ans, en période de cheminement personnel, fait le rêve suivant qui réunit lumière et son :

> Titre : L'escalier lumineux
> «Je marche seule dans un endroit inconnu. Cependant, je me sens très bien. Soudain, devant moi, apparaît un long escalier dont les marches lumineuses montent vers une immense source de lumière. Je regarde intensément cette lumière qui m'attire. Une voix se fait entendre et elle me dit ceci : "Ne détourne jamais ton regard de cette lumière." Je m'éveille avec un sentiment de bien-être profond.»

Ces deux éléments, lumière et son, manifestations de l'Esprit, constituent la nourriture de l'âme. Ils lui apportent force et vitalité pour survivre dans la dimension physique et pour bien prendre en main ses responsabilités. On nourrit tous les jours le corps physique avec des aliments, le corps émotionnel avec des sentiments et le corps mental avec des connaissances intellectuelles, des lectures, des films et des conversations. Mais qu'avons-nous à offrir au corps spirituel? Le rêve est un outil pour lui permettre d'accéder à cette nourriture divine : la lumière et le son. Mario, 33 ans, raconte :

> «Je vois mes bras puis tout mon corps se recouvrir de lésions cutanées ressemblant à du psoriasis, sans aucune douleur cependant. J'essaie de déloger ces peaux mortes avec la main, mais elles sont adhérentes. Puis, j'y parviens enfin. Elles tombent en laissant des traces qui tout à coup disparaissent. En tombant, les peaux mortes sonnent comme le bruit du verre sur le sol. Soudain, j'en découvre aux lobes de mes oreilles; ce sont des cristaux

qui se détachent au contact de mes mains. Des cliquetis se font entendre. Des cristaux sont restés dans mes mains, ils deviennent lumineux avant de tomber par terre. Je m'éveille. J'ai aimé ce rêve. Je me sens merveilleusement bien. »

Vous voyez comment le sentiment noté à la fin du rêve est ici très important. La sensation de bien-être valide la valeur thérapeutique du rêve car, par la suite, cet homme a constaté de grands changements intérieurs lui permettant d'être plus heureux.

RÊVES INITIATIQUES

Dans les rêves spirituels, nous retrouvons les rêves initiatiques, qui provoquent des changements intérieurs importants. Au réveil, une évidence s'impose à votre conscience : vous n'êtes plus la même personne. Vous réalisez qu'une transformation intérieure a eu lieu car vous réagissez différemment aux situations quotidiennes. Les symboles qui reviennent fréquemment dans ce genre de rêve sont le feu, les astres, la présence d'êtres lumineux ou des rituels à accomplir. Ces rêves ouvrent sur de nouveaux horizons.

Le rêve assume auprès de nous une fonction initiatique à plus d'un titre. En bon pédagogue, le rêve nous initie aux étapes de la vie, aux divers stades de notre évolution intérieure, à des connaissances essentielles, à l'après et à l'à-côté de la vie terrestre[*].

---

* Lachance, Laurent, *Les rêves ne mentent pas*, Éditions Robert Laffont, Paris, 1983, p. 183.

C'est dans les rêves d'initiation que le rêveur a l'impression de passer des tests ou d'être mis à l'épreuve. La personne sent qu'elle a accès à un autre niveau de conscience. Une amie a fait l'expérience suivante :

> « Je suis dans une pièce sombre avec un guide qui me fait passer un test. Il me dit : "Ferme les yeux et entre en contact avec l'âme que tu es." Sitôt la suggestion énoncée, j'établis le contact. Je vois une lumière incroyable et je vole au-dessus de la ville. Je lui raconte tout : deux rues très blanches en forme de croix, un soleil extraordinaire, des édifices très hauts, puis ces autos aux couleurs vives. Sentiments retenus : assurance et émerveillement. »

Cette luminosité contrastant avec la pièce sombre du début lui montre qu'elle a laissé, en l'espace d'un rêve, ce monde où tout est si terne pour vivre une expérience élevante, remplie de lumière.

En maintenant un état d'esprit calme et harmonieux avant le sommeil, vous pouvez cultiver l'ouverture sur vos mondes intérieurs. Ce regard objectif obtenu par le rêve vous indique les failles à réparer, les peurs à affronter et les faiblesses à corriger. Afin de vous aider dans votre démarche d'ouverture et de compréhension, ce même regard de l'âme dévoile vos forces acquises, vos qualités divines et vos dons en éveil. Ce potentiel illimité est votre garantie pour prendre en main votre destinée. Puisque les changements sont inhérents à la vie, il vous est alors plus facile d'y faire face tout en conservant votre équilibre intérieur.

Une excellente façon de reconnaître un rêve spirituel est d'en réaliser les conséquences. Il s'en dégage un extraordinaire état de bien-être, une grande paix intérieure, une douce sérénité, beaucoup de joie et une sensation de liberté jusque-là inégalée.

Bien sûr, on aimerait faire tous les jours de ces rêves dynamisants et réconfortants ! Ce n'est pas la quantité qui importe, mais la qualité. De plus, la gratitude et la reconnaissance envers ces cadeaux que nous offre la nuit militent pour leur continuité. Nous verrons comment favoriser ce type de rêve.

Les guides

Certains rêves bénéficient de la présence d'un ou de plusieurs guides, connus ou inconnus. Ces personnages vous montrent le chemin et dirigent vos pas dans la bonne direction. Parfois, ils vous escortent dans des lieux semblables à des châteaux, des temples, des cathédrales, des écoles ou des universités. Leurs conseils vous éclairent, vous libèrent et vont même jusqu'à vous guérir quelquefois.

Le maître du rêve est le meilleur ami du rêveur. Chaque nuit, il se tient tout près, attendant votre permission pour agir. Son rôle se résume à guider, protéger et aider.

Chaque guide spirituel devient l'enfant amical du rêveur[*]*...*

Un guide peut aussi se manifester au cours de nos songes. Le guide peut être notre propre soi, une entité du monde angélique, une personne décédée que nous avons connue dans le passé et qui veille sur nous[**].

---

* Garfield, Patricia, *La Créativité onirique*, Éditions de La Table Ronde, Paris, 1983, p. 114.

** Landreux-Valabrègue, Jackie, *Changer ses nuits — Changer sa vie*, Éditions Alain Brêthe, Paris, 1992, p. 79.

D'autres l'appellent la marrainc-fée, l'ange gardien ou le visiteur. Peu importe le terme choisi, vous le reconnaissez par la qualité d'amour qu'il vous prodigue. Le guide du rêve ne juge pas, il vous accepte tel que vous êtes et même plus, il voit en vous l'être de lumière. Sa capacité d'aimer est infinie et vous le ressentez fortement. Cette réalisation vous permet de lui faire entièrement confiance et de l'appeler au besoin. Nous verrons des techniques pour travailler avec le guide du rêve.

Un même rêve peut contenir des éléments appartenant à plusieurs catégories de rêves à la fois. Le voyage intérieur s'effectue alors dans plus d'une dimension et a des composantes à la fois télépathiques, prophétiques et spirituelles.

Voici, à la page suivante, sous forme de tableau, un résumé des différents types de rêves :

LES CATÉGORIES DE RÊVES	
Réactifs	*Plan physique* Rêves réagissant aux conditions extérieures • en rapport avec le corps physique
Compensateurs	*Plan astral* Rêves maintenant l'équilibre émotionnel et psychique • en rapport avec les sentiments
Temporels	*Plan causal* Rêves en provenance de la trame temporelle • en rapport avec le passé, le présent et le futur
Télépathiques	*Plan mental* Rêves de communication avec soi ou avec les autres • en rapport avec les pensées et l'intellect
Spirituels	*Plan spirituel* Rêves concernant notre évolution spirituelle • en rapport avec l'âme

3

Les fonctions du rêve

J'étais sortie de l'avion en souriant...
Mes sauts de nuit avaient été très profitables.

Pour avoir le goût et la motivation de travailler avec vos rêves, il est essentiel de savoir qu'ils peuvent vous être utiles. Par exemple, si je dois apprendre une autre langue, comme l'anglais, simplement parce que les règlements scolaires m'y obligent, je suis très peu motivée. Par contre, si je sais que cette deuxième langue va me permettre de communiquer, de voyager et de me faire comprendre, l'apprentissage en est inévitablement facilité. Grâce à une discipline initiale et à des efforts soutenus, j'y mets tout mon cœur et suis largement récompensée par la joie qui en résulte.

Il en est de même avec l'étude des rêves : se fixer des objectifs précis motive grandement à investir temps et énergie. Les avantages sont considérables et les résultats en valent la peine.

Les nombreuses années consacrées à l'étude des rêves me l'ont prouvé constamment. Leur aide est devenue précieuse tant pour les petits problèmes quotidiens que pour les grandes décisions. Fidèles au rendez-vous, ils donnent espoir, soutiennent dans les périodes difficiles et réconfortent dans les moments tristes ou dans la souffrance. Leur sagesse me guide judicieusement et ils m'avertissent toujours au moment opportun. J'apprécie grandement leur assistance. Au fil des ans, mes rêves sont devenus des amis fidèles. Ils représentent ma richesse secrète.

Quelles sont les fonctions du rêve ? Nous allons aborder les plus fréquentes, celles qui nous secondent quotidiennement. Libre à vous d'en trouver d'autres, selon vos besoins et votre créativité.

ÉQUILIBRER

Comme nous l'avons vu dans la catégorie des rêves compensateurs, l'un des rôles fondamentaux du rêve consiste à rétablir l'équilibre du psychisme. Chaque nuit, une partie des rêves est consacrée à la compensation, tant au niveau émotionnel que mental.

Des expériences en laboratoire ont été menées sur des bébés chimpanzés séparés de leur mère dès leur naissance. Les nouveau-nés ainsi privés d'affection et de contact physique se sont laissés mourir malgré la nourriture qu'ils recevaient mécaniquement. Le besoin vital de tendresse et d'amour est commun à tous les êtres vivants.

En tant qu'adultes, il peut nous arriver d'être temporairement privés de cette source d'amour, à cause d'un éloignement, d'une séparation ou d'un deuil. Grâce aux souvenirs accumulés, les rêves sont alors un moyen d'éliminer les obstacles qui nous séparent de cette source. Le temps et l'espace ne sont plus des barrières pour retrouver les êtres chers ; au contraire, le rêve nous réunit de nouveau et les besoins affectifs sont comblés.

L'emprisonnement est un exemple frappant. Pendant plusieurs années, j'ai eu l'occasion de donner des conférences sur les rêves dans les centres de détention. Ces rencontres avec des gens privés de leur environnement affectif habituel m'ont permis de mieux comprendre l'importance des rêves compensateurs. Les témoignages recueillis apportent un éclairage supplémentaire sur cette fonction vitale. Leur liberté retrouvée durant le rêve, les détenus peuvent revoir leur famille, leurs amis et leur conjoint. Par le rêve, l'illusoire devient réel et cela permet de faire face quotidiennement à la dure réalité du milieu carcéral.

Au besoin d'amour se rattachent les besoins d'acceptation et d'approbation. Les rêves mettent alors en place les scénarios appropriés. Qui n'a pas rêvé de gloire et de célébrité ? D'actes héroïques et courageux qu'une foule applaudit ? D'exploits audacieux qui suscitent l'étonnement des amis ? Ces rêves, en plus d'équilibrer un besoin d'être admiré et accepté en se surpassant, redonnent une dose de confiance en soi.

Dans le même ordre d'idées, les colères refoulées, les désirs insatisfaits et les frustrations accumulées trouvent un exutoire libérateur dans le monde onirique. Les besoins de respect, d'espace intérieur et de liberté se trouvent aussi comblés.

Ainsi, les nuits apportent l'équilibre nécessaire au bien-être émotionnel et mental. Ce processus de compensation se fait automatiquement grâce aux forces naturelles présentes en chacun de nous. Le rêve compensateur constitue la soupape essentielle à notre stabilité intérieure.

INFORMER

Si un jour quelqu'un vous proposait les services d'un informateur secret pour vous tenir au courant de tout ce qui se passe dans votre monde intérieur (votre tête, votre cœur et même votre corps physique), seriez-vous emballé par cette offre ? Bonne nouvelle ! Il est tout à fait possible d'accéder à ces services et nul besoin d'attendre qui que ce soit puisque l'informateur secret de vos nuits réside à l'intérieur de vous.

Comment est-ce possible ? En consultant vos rêves, tout simplement. Chaque nuit, inlassablement, votre cerveau droit se charge de faire resurgir les informations concernant votre état de santé physique, émotionnelle, mentale et spirituelle. Son mode d'expression étant l'imagerie, il ne reste plus qu'à la décoder. L'imagerie sera davantage étudiée ultérieurement.

Le cerveau droit, synthétique, fait le bilan de la journée et relève les détails importants qui vous ont affecté. Si cela s'avère nécessaire, il fouille dans ses archives du passé pour détecter un événement qui est la cause des conditions actuelles. Puis, en bon futurologue, il examine les conséquences éventuelles des actions présentes.

Sentez-vous que vous n'êtes pas à votre place dans votre travail actuel ? L'informateur secret vous éclaire sur les raisons de ce sentiment. Il peut même offrir des solutions de rechange.

Certains projets ne semblent pas vouloir se réaliser ? Observez vos rêves. Ils établiront les causes de ces délais. Un détail important a peut-être échappé à la fonction analytique du cerveau gauche et l'hémisphère droit l'a repéré. Le rêve peut vous informer du bon moment pour débuter un projet futur. Ou serait-il préférable de changer vos plans pour ne pas nuire à votre épanouissement personnel ?

Tel un reporter chevronné, le rêve vous documente sur le sujet de l'heure : vous-même. Ses enquêtes couvrent tous les recoins de votre conscience. Vos peurs, vos désirs, vos espoirs et vos craintes : rien ne lui échappe.

Qui êtes-vous réellement ? Un à un, le rêve fait tomber les masques et dévoile votre véritable identité. Il vous instruit sur votre potentiel créatif et dévoile des capacités insoupçonnées.

Nous verrons des techniques pour exploiter davantage cette fonction informative du rêve.

AVERTIR

L'avertissement est l'un des déclencheurs des rêves répétitifs, aussi appelés rêves récurrents. Cette fonction préventive est un atout majeur dans votre vie, elle assure votre protection en tout temps.

Le rêve vous prévient des dangers éventuels, des menaces qui grondent au loin. Les rêves prémonitoires et prophétiques jouent ce rôle important. Dans le monde onirique, le temps existe sous une forme différente et parfois les événements futurs se révèlent à nous. Le rêve peut alors émettre un avertissement ou transmettre un message. Chacun demeure libre de tenir compte de cette information ou de confondre le rêve prémonitoire avec le rêve compensateur.

Un jour, dans un rêve, je me dispute avec une collègue de travail. Au réveil, croyant que j'ai tout simplement défoulé une colère réprimée, je ne tiens pas compte de cette information. Deux jours plus tard, à mon travail, je me retrouve effectivement dans une situation conflictuelle avec la personne du rêve et le tout dégénère en dispute. Je constate qu'une négligence de ma part en est la cause. Comme je déteste les conflits, je m'en veux d'avoir ignoré l'avertissement et je me promets de rester plus vigilante. À l'avenir, toute dispute onirique sera considérée comme une probabilité.

Quelques semaines plus tard, je rêve à une nouvelle confrontation orageuse avec une personne que je ne côtoie que rarement à cause d'une incompatibilité de nos caractères. Au réveil, le souvenir de ma dernière expérience me rend prudente. Je décide de traiter ce rêve comme étant prophétique. J'entreprends l'exercice suivant : je pense à la personne vue en rêve, je neutralise mes pensées négatives à son égard en leur substituant des images positives. Quelques jours plus tard, je reçois un appel inattendu de cet individu. Il demande à me parler. Il me reproche certains comportements et, à ma grande surprise, je ris au lieu de me fâcher. Ma réaction le surprend, car ses paroles en apparence blessantes ne m'affectent pas. Je réalise que selon son point de vue il a raison et je lui expose le mien. Finalement, la conversation se fait en toute franchise et chacun admet que l'autre a droit à son opinion. Un peu plus tard, en relisant mon journal de rêves, je fais le lien entre le rêve prophétique de dispute et cet échange harmonieux ; j'ai tenu compte de l'avertissement et le futur s'est modifié.

Savoir différencier un avertissement symbolique d'une alerte réelle relève de l'expérience. Plus vous observerez vos rêves et votre vie éveillée, plus vous obtiendrez des points de repère pour juger adéquatement de leur nature.

CONSEILLER

Voilà un aspect intéressant dans la mesure où vous faites confiance à vos rêves. Ma vieille tante disait : « Endors-toi sur ton problème et demain tu auras la solution. » Elle faisait référence à la fonction de conseiller du rêve.

Comment le rêve a-t-il le privilège de posséder les données nécessaires pour vous guider dans vos décisions ? C'est grâce aux facultés inhérentes du cerveau droit, qui prennent la relève durant le sommeil. L'hémisphère droit peut traiter un grand nombre de données en peu de temps puisqu'il pense globalement, tandis que le cerveau gauche pense de façon logique et linéaire, traitant chaque information une à une. De récentes données scientifiques démontrent que la nuit nous utilisons 70 % à 80 % des facultés du cerveau comparativement à 10 % ou 12 % à l'état d'éveil.

Les précieux conseils de vos rêves sont disponibles ; il suffit de prendre le temps de les écouter. D'abord, demandez-leur une consultation privée en vous rappelant, au moment de vous endormir, qu'ils vont vous apporter les réponses dont vous avez besoin, puis notez au réveil toutes les informations présentées. Enfin, relisez vos notes quelques heures ou quelques jours plus tard. Le recul est souvent nécessaire pour bien saisir la pertinence du message.

Dès le réveil, vous pouvez percevoir intuitivement la solution à votre question. Vous savez sans pouvoir l'expliquer. Avec le temps et l'expérience, j'ai appris à faire confiance à ces sensations du réveil qui me guident régulièrement. *La nuit porte conseil*, ne l'oubliez jamais !

EXPÉRIMENTER

Le rêve constitue un merveilleux laboratoire. En effet, c'est un lieu privilégié pour y tenter nombre d'expériences. Vous avez toute liberté d'action tant qu'elle n'interfère pas avec celle des autres. Avec un peu d'imagination et beaucoup de créativité, vous voilà transformé en chercheur qui teste ses formules mystérieuses.

La recette est simple, il s'agit d'**oser**. Osez imaginer les plus beaux scénarios de rêve, comme lorsque vous étiez enfant. Osez expérimenter des actions audacieuses comme celles des films d'aventures. Osez rencontrer des êtres de lumière qui vous enseigneront des vérités remplies de sagesse. Osez voyager dans des univers inconnus aux décors fantastiques. Osez et vous verrez !

Le monde du rêve se joue des limites de l'espace et du temps. Un après-midi, je regarde un reportage télévisé où l'astronome et physicien Carl Sagan parle des récentes découvertes en astronomie. Durant l'émission, je m'assoupis. Je ne voulais pourtant pas manquer ce documentaire qui m'intéressait beaucoup. Je rêve. Guidée par la voix de Carl Sagan, je voyage à travers les étoiles et les galaxies, m'émerveillant de la beauté des astres vus de si près. Tout est très réel. Ce rêve dépasse la simple écoute d'une émission de télé, car j'ai pu vivre l'aventure au lieu de me contenter de regarder. Quelle expérience fascinante !

Consciemment ou non, les scientifiques et les chercheurs exploitent régulièrement l'expérimentation en rêve. La littérature sur les rêves en fait abondamment mention. En voici quelques exemples :

Alors qu'il se questionne sur la relativité du temps, Einstein se voit en rêve chevaucher un rayon de lumière qui part de la Terre jusqu'au Soleil. Cette image lui permet de jeter les bases de la relativité.

Dans un rêve, l'inventeur de la machine à coudre est poursuivi par un groupe d'indigènes qui le menacent avec des lances. Ces lances ont quelque chose de bizarre, elles sont percées d'un trou à l'extrémité de leur pointe. Au réveil, le chercheur note ce détail et comprend enfin pourquoi son invention ne fonctionne pas encore : le chas de l'aiguille n'est pas à la bonne place. Il la modifie à l'image des lances du rêve et la machine à coudre voit le jour, pour le plus grand bien de l'humanité.

Le principe du roulement à billes fut découvert grâce au rêve de James Watt, un ingénieur écossais. Il se voit marcher sous une pluie de plomb. Cette image lui suggère qu'en jetant du plomb en fusion d'une hauteur vertigineuse, le métal en retombant formera des petites sphères.

De nombreuses autres découvertes sont issues du rêve, dont le manche à balai des avions, le stylo, la loi de l'hérédité et la charte des éléments, pour n'en nommer que quelques-unes. Léonard de Vinci, rêveur invétéré, formait en songe ses projets d'ingénierie, d'architecture, de sculptures, ainsi que ses inventions. Il a conçu l'aéroplane et le sous-marin quelques centaines d'années avant leur réalisation.

Pour les personnes qui ne sont ni des scientifiques ni des inventeurs, cette fonction du rêve est aussi très utile, même si elle ne fait pas la manchette des journaux. Par exemple, créer une nouvelle coupe de cheveux peut être une bonne raison de consulter le laboratoire du rêve. Après avoir porté les cheveux longs pendant plusieurs années, je décide un jour de changer de coiffure. Quelle coupe choisir? J'en vois une en rêve qui me convient. Le lendemain, je la décris à la coiffeuse qui s'exécute. Je suis satisfaite des résultats.

Que ce soit pour créer une nouvelle recette de cuisine, refaire la décoration d'une pièce ou de la maison au complet, dessiner un vêtement, inventer de nouvelles histoires pour les enfants, tout est possible grâce à l'infini pouvoir d'invention du rêve. Le célèbre golfeur américain Jack Nicklaus a amélioré sa technique grâce à un rêve.

D'ailleurs, la créativité est une capacité spirituelle issue de l'âme. Si dans votre vie éveillée le manque de temps vous empêche d'utiliser votre talent de création à quelque niveau que ce soit, vos nuits quant à elles vous inspireront de façon illimitée.

Les artistes viennent souvent puiser dans ce réservoir d'images. Les peintres visitent des paysages enchanteurs et observent les jeux de couleurs fantastiques. Les musiciens écoutent des sonorités et des symphonies célestes qui les incitent à composer des œuvres remarquables. Les designers créent des modes nouvelles. Les écrivains y découvrent des intrigues originales.

Un jour, deux auteurs de continents différents s'inspirent de la même histoire pour écrire un texte qu'ils ont publié chacun dans leurs pays respectifs. Par la suite, ils ont avoué avoir capté l'intrigue à l'état de rêve.

Il ne tient qu'à vous de puiser dans les péripéties de la nuit des éléments de création dans le domaine qui vous intéresse. J'y perfectionne souvent le contenu de mes conférences et cela me donne beaucoup de confiance.

N'hésitez plus, expérimentez ! Chaque nuit, votre laboratoire personnel vous ouvre toutes grandes ses portes.

APPRENDRE

Les rêves nous apprennent, en consolidant les données déjà emmagasinées. Cela signifie qu'il faut posséder une connaissance de base dans le domaine à explorer. Le rêve scrute et remodèle ensuite cette matière.

Par exemple, vous apprenez pour la première fois à faire du ski nautique. À maintes reprises, vous essayez de sortir de l'eau sans tomber. Impossible d'y arriver. Vos mouvements demeurent incorrects. Chaque essai vous fatigue de plus en plus et finalement vous abandonnez, sans succès. Le lendemain, vous faites une autre tentative, croyant revivre les mêmes difficultés. À votre grande surprise, le bateau vous tire facilement hors de l'eau comme si vous l'aviez toujours fait. Vous avez acquis ce savoir-faire au cours de la nuit qui vient de s'écouler. Cette période vous a permis de pratiquer à votre aise la technique amorcée la veille. Le cerveau a enregistré les données nécessaires pour bien coordonner les mouvements à effectuer. Les neurophysiologistes ont clairement démontré cette aptitude.

Cette fonction du rêve ouvre donc un vaste horizon d'actions possibles. Au fil des ans, je suis devenue une grande adepte de cet aspect du rêve. J'ai perfectionné mes techniques de ski alpin car, ayant commencé ce sport à 30 ans, je n'avais pas la témérité des jeunes. Un peu craintive, mais confiante dans mes essais nocturnes, j'ai réussi à descendre des pentes d'experts après 3 journées d'entraînement à l'état d'éveil. J'avais intérêt à apprendre rapidement pour suivre mes amis qui ne fréquentaient pas les pentes de débutants et je tenais à les accompagner. Mon journal de rêves de cette époque fait étalage de bon nombre de scènes de ski où j'exécutais des prouesses assez étonnantes.

Trois années plus tard, je pratique le parachutisme ! Un peu moins douée pour ce sport qui a éveillé en moi la peur insoupçonnée du vide, j'ai dû pratiquer longuement à l'état de rêve. À la grande surprise de mon instructeur, mes efforts ont été récompensés.

Il avait constaté ma panique chaque fois que je sortais de l'avion pour me suspendre au hauban de l'aile. Au moment de me laisser tomber dans le vide, mon visage exprimait un désespoir qui en disait long sur cette peur incontrôlable.

Cependant, après 23 sauts en ouverture automatique, j'ai réussi à faire le grand saut appelé chute libre, celui où le parachutiste actionne lui-même l'ouverture de son parachute.

La veille, à l'état de rêve, j'ai fait quelques sauts, comme souvent auparavant, mais avec une différence notable : je me suis éveillée non pas angoissée comme avant, mais plutôt dans un état de calme étonnant. Ce sentiment nouveau m'a tout de suite indiqué que j'avais enfin maîtrisé ma peur du vide. Confiante et rassurée, j'ai entrepris d'effectuer ma première chute libre. Quel beau cadeau !

L'histoire ne s'arrête pas là. Après une saison riche en émotions, j'ai bien cru que les rêves de sauts en parachute allaient se terminer. Pas du tout. Même si je n'avais aucun désir de poursuivre ce sport, du moins consciemment, je sautais encore occasionnellement en rêve. L'année suivante, j'accompagne un ami au centre de parachutisme afin d'assister à son premier saut. Une fois sur place, je décide de m'exécuter aussi. Curieusement, la personne responsable des sauts ce jour-là est le même instructeur qui m'a vue évoluer durant mon entraînement.

À 850 mètres d'altitude, je sors de l'avion, prête à revivre les émotions terrifiantes de l'été précédent. À ma grande surprise, j'arbore un calme olympien. J'effectue tous les gestes automatiquement, pour les avoir répétés de nombreuses fois dans mes nuits actives. Suspendue au bout de l'aile, j'attends le signal de l'instructeur pour me laisser tomber dans le vide, devenu tout à coup moins menaçant. Pour la première fois, je m'amuse au lieu de sentir la panique comme autrefois. Aucune trace de peur.

Arrivée au sol, heureuse et soulagée, j'aperçois l'instructeur estomaqué de constater une si grande différence dans mon attitude. Il me dit que cette Nicole qui venait de sauter était complètement différente de celle de la saison précédente. J'étais sortie de l'avion en souriant et j'ai su garder ce sourire durant toutes les manœuvres. Cette remarque m'a permis de constater que j'avais réellement vaincu ma peur. Mes sauts de nuit avaient été très profitables.

Dans un domaine plus intellectuel, j'ai aussi mis à contribution la fonction d'apprentissage du rêve pour favoriser l'étude de langues étrangères : l'espagnol, l'allemand et l'italien. Les techniques utilisées seront expliquées plus loin.

La nuit, vous pouvez pratiquer, étudier et approfondir un domaine en particulier. Le jour, vous accumulez des informations que vous assimilez davantage pendant le sommeil. Le rêve possède un rôle pratique dans la vie de tous les jours, car il permet de gagner du temps sur des horaires très chargés.

SE CONNAÎTRE

Voici maintenant une fonction plus intérieure, mais qui s'avère cependant très utile : mieux se connaître par les rêves.

En effet, par leur intermédiaire, vous avez l'occasion d'étudier et de découvrir d'une façon toute particulière un être très important : **vous-même**. Partez à la découverte de vos désirs les plus secrets et de vos espoirs les plus chers. Démasquez vos peurs et vos craintes. Dépistez vos faiblesses qui nuisent à votre épanouissement. Découvrez vos forces et votre potentiel illimité par des mises en scène très explicites.

Le rêve met à nu l'être que vous êtes réellement, dévoilant votre véritable individualité. Décelez vos attentes inavouées. Subtilement, pénétrez dans votre subconscient afin de repérer les traumatismes passés qui vous occasionnent des problèmes dans le présent.

Tel un puissant appareil à rayons X, servez-vous du rêve pour détecter les moindres failles dans votre structure intérieure et pour diagnostiquer vos malaises psychiques en les grossissant parfois, pour mieux les mettre en évidence.

Une amie aux prises avec des problèmes familiaux très graves me confie son rêve :

> « Quelqu'un s'approche de moi et me demande si c'est douloureux lorsque je débranche la prise électrique. Je comprends que c'est ce que je dois faire, car tout risque d'exploser, c'est trop dangereux. »

La rêveuse comprend le lien entre ce rêve et sa condition actuelle. Pour survivre, elle doit se débrancher temporairement de ses émotions, car elle risque d'exploser.

Voilà autant de raisons d'être à l'écoute de vos rêves. Leur aide dans la connaissance de soi est inestimable. Même si leur franchise est quelquefois désarmante, la richesse des informations en vaut le coût.

Deuxième partie

L'ACTION

AGIR POUR MIEUX VIVRE

4

L'art de rêver

Vous possédez maintenant l'outil
indispensable à tout bon rêveur.
Ce cahier devient le lien entre vos rêves et vous.

Nous parvenons à l'étape importante pour développer l'art de rêver, celle qui sert de démarreur. Il s'agit de l'engagement. Le mot vous surprend? N'ayez crainte ! À tout moment vous serez libre de vous désengager, puisque c'est un pacte d'alliance avec vous-même que vous allez sceller. Ce sera l'un des plus importants contrats de votre vie : vous allez investir dans vos nuits afin d'améliorer la qualité de votre vie éveillée. N'est-ce pas là une perspective passionnante ?

L'art de rêver, c'est aussi l'art de vivre ; en apprenant à maîtriser vos rêves, vous améliorez inévitablement le contrôle de votre vie éveillée. **Vos nuits influencent vos journées et vos journées influencent vos nuits**, voilà un principe à retenir.

L'ENGAGEMENT

Pour travailler efficacement avec le monde onirique, vous avez à vous engager à utiliser votre **journal de rêves**. Faisant partie du livre, il vous est déjà accessible. Le garder à portée de main, sur une table de chevet par exemple, va nourrir votre motivation et vous rappeler que vos rêves sont toujours les bienvenus.

LE JOURNAL DE RÊVES

Vous possédez maintenant l'outil indispensable à tout bon rêveur. Il symbolise votre disponibilité à recevoir les images oniriques et à les recueillir une à une afin d'établir un contact intime avec votre vie nocturne. Ce cahier devient le lien entre vos rêves et vous.

Comment l'utiliser? Le plus simplement possible. Inscrivez d'abord la date du rêve et, dès qu'il remonte à la mémoire, décrivez-le dans votre journal avec un langage direct et au présent. Avant ou après la rédaction, inscrivez un titre. Enfin, complétez votre description en indiquant le sentiment qui vous reste à la fin du rêve. La formule à retenir est donc : DATE-TITRE-SENTIMENT.

Pourquoi relever tous ces détails? Ils sont d'une extrême importance durant la relecture et sans eux la précieuse information dont on a besoin s'échappe. J'en ai fait l'expérience en relisant des rêves consignés il y a plus de vingt ans. Sans titre ni indication du sentiment éprouvé, ils étaient devenus incompréhensibles. J'avais perdu le contexte et le souvenir de mes expériences vécues à l'époque.

Avec les années, j'ai développé l'habitude de titrer et d'ajouter les impressions ressenties à la fin de mes rêves. La lecture et l'analyse de mes notes sont devenues plus faciles et souvent le titre seul me fournit l'indice essentiel à sa compréhension.

Voyons plus en détail chacune de ces composantes.

LA DATE

Elle prend son importance au moment de la relecture de vos rêves. Sans la date, il est difficile de vérifier s'il s'agit d'un rêve prémonitoire. Certains reviennent à intervalles réguliers et vous les détecterez grâce à la date inscrite.

Voici un rêve symbolique qu'une amie a pu décoder par les dates. Une nuit, elle rêve de chats sans peau ni poil. Ils sont en bonne santé mais, à chaque mouvement, des perles de sang recouvrent leurs muscles. C'est à la fois horrible et sécurisant. Elle se rappelle avoir fait ce rêve à deux reprises auparavant. Dans ses notes, elle retrouve ses expériences passées et tente d'élucider le mystère. Retournée aux études universitaires à temps partiel, elle remarque que les dates correspondent toujours au début des semestres et que le nombre de chats a un rapport direct avec le nombre de cours où elle s'est inscrite. Elle a fait un rapprochement entre les chats et les cours. Voici sa conclusion : elle adore étudier et apprendre des nouvelles matières (elle adore aussi les chats), mais cette situation l'oblige à fournir un très grand effort cérébral (perles de sang sur les muscles des chats).

Les rêves d'anniversaire, ceux faits dans les jours adjacents à votre date de naissance, sont généralement importants. Un changement de cycle survient à cette période et vos rêves vous en informent.

LE TITRE

Comment le choisir ? Trouvez spontanément l'élément du rêve le plus significatif ou qui vous a particulièrement impressionné. Est-ce un objet (la table brisée, l'auto neuve, l'horloge chantante, la clé retrouvée...), ou bien un personnage (l'enfant perdu, le vieil homme triste, Mme X enragée...), ou encore une sensation dominante (la perte de contrôle, la trahison, le détachement...) ? Laissez à l'intuition le soin de vous indiquer l'élément important du rêve. Examinons ensemble le cas suivant :

> « Robert se promène à pied sur une route inconnue. Soudain, un voleur surgit de nulle part et s'empare

brusquement de son porte-documents, puis s'enfuit dans la forêt avoisinante. Abasourdi par la rapidité du voleur, Robert réalise soudain qu'il doit partir à sa poursuite, mais quelque chose l'en empêche. Il est paralysé par un sentiment de peur. Il n'ose pas. Il s'éveille en sueur, le cœur battant. »

Voyons différents titres possibles : le voleur, la peur, la route dangereuse, l'incapacité à réagir. Chacun de ces titres suggère une piste d'interprétation différente.

Si le rêveur opte pour **le voleur** comme élément fort du rêve, cela peut lui indiquer qu'un événement de sa vie dissimule une situation ambiguë ou qu'une personne va lui dérober quelque chose. Ce quelque chose, symbolisé par le porte-documents, peut être relatif à son travail. Et la suite du rêve indique qu'il aura de la difficulté à réagir.

Si le choix du titre est **la peur**, le rêveur doit s'efforcer de découvrir son origine, car cette peur peut l'empêcher de remédier à une situation et de poursuivre un éventuel agresseur. Le rêve se fait l'écho d'une faiblesse qui risque de lui occasionner des ennuis, symbolisés par le vol de son porte-documents.

L'option de **la route dangereuse** suggère au rêveur que, dans sa vie actuelle, il emprunte un chemin périlleux ou incertain. Il doit réévaluer la direction à suivre ou devenir plus alerte afin d'éviter les méfaits d'un voleur éventuel (voleur en tant que symbole).

Enfin, le titre **l'incapacité de réagir** lui propose de reconnaître l'élément paralysant et nuisible dans sa vie.

Maintenant, vous saisissez mieux l'importance de bien choisir le titre afin d'orienter l'interprétation onirique dans une direction plus adéquate. Vous écarterez ainsi toute controverse ou tout détour inutiles qui parfois vous éloignent de l'essentiel. Laissez donc à votre intuition la tâche de discerner l'élément déterminant du scénario. Mettez de côté la raison ou la logique, apprenez à saisir au vol l'image dominante ou le détail frappant de vos rêves. Soyez spontané et, avec l'habitude, choisir un titre convenable deviendra de plus en plus facile et agréable.

Cette aptitude à percevoir instantanément l'information permet de stimuler la partie du cerveau génératrice des images du rêve, en l'occurrence le cerveau droit. Les fonctions créatrices, la perception globale d'une solution à un problème et l'intuition sont des éléments intimement reliés à cet hémisphère.

Par opposition, le lobe gauche saisit des fragments de rêve et non le tout. Il analyse, décompose et rationalise le monde onirique. Au lieu de simplifier, il complique parfois. C'est le penseur. Bon serviteur, il est mauvais maître. Dans vos activités de tous les jours, vous utilisez ses services à bon escient ; mais la nuit, le cerveau droit exploite son langage favori : l'imagerie. Apprenez à saisir et à noter l'image puissante qui s'impose à votre conscience au réveil afin d'en faciliter le décodage.

Le titre revêt donc une importance capitale dans la rédaction d'un rêve. Il résume son contenu, personnalise le scénario et permet de saisir l'essence même de son message. D'ailleurs, vous ne le choisissez pas vraiment : cet indicateur précieux pour la compréhension du rêve se présente à vous d'une façon toute naturelle.

LE SENTIMENT

Il est question ici du sentiment qui est présent à la toute fin du rêve et non de celui ressenti au réveil. L'émotion qui persiste dévoile un contenu souvent emmitouflé dans un scénario très complexe. En prendre note demande un effort de volonté et de concentration, car on doit se replacer dans le contexte du rêve et revivre les émotions (rage, tristesse, joie, frustration, peur, bien-être, solitude...). La liste est infinie. Il faut une bonne dose de courage pour évoquer certaines scènes dérangeantes, voire troublantes.

Le sentiment peut combiner plusieurs émotions (paix et bonheur) ou offrir une gamme de sentiments selon le déroulement de l'histoire (de la peur au courage, puis au soulagement).

Le sentiment, l'élément le plus précieux du rêve, subsiste au réveil et imprime son énergie en vous. Cet indice vous en révèle le véritable contenu, parfois dissimulé derrière une histoire abracadabrante. Tel un détective rusé, vous examinerez minutieusement chaque émotion vécue afin de démasquer le message important malgré les tentatives du censeur pour brouiller les pistes.

LE CENSEUR

En psychologie, un principe moral gère nos pulsions, c'est le censeur ou conscience morale. Il porte bien son nom car il censure : c'est le gardien de nos nuits. Il veille constamment à notre équilibre émotionnel et psychique. Il s'assure que les informations provenant du monde du rêve ne soulèvent aucune perturbation. Il filtre les images et joue un rôle protecteur.

Afin d'éviter qu'un rêve ne vous dérange par sa trop grande franchise, vous dévoilant une faiblesse que vous n'êtes pas prêt à reconnaître, le censeur en falsifie le contenu par différents moyens.

Imaginez-vous dans un rêve merveilleux ; si vous vivez une phase dépressive, vous croirez qu'il est trop bien pour vous, alors le censeur verra à brouiller les cartes. Sa ruse n'a pas de limites. Il possède une panoplie de trucs tous plus ingénieux les uns que les autres : il exagère, caricature, déguise, symbolise ou transfère.

Il censure pour maintenir l'équilibre émotionnel et psychique du rêveur. Le censeur provient de l'éducation et de la morale reçues, il est la somme de tous les interdits transmis. Chacun possède son propre censeur, plus ou moins rigide selon les conditionnements de notre vécu.

L'exemple suivant illustre le rôle du censeur :

> Le titre : La grosse araignée
>
> « Je vois une grosse araignée sur le plancher de mon lieu de travail. Elle est dégoûtante. Je l'écrase avec mon pied. Le sentiment à la fin du rêve est le soulagement. »

Pour interpréter son rêve, Caroline se souvient d'un événement vécu la journée précédente. À la suite d'un conflit survenu à son travail, elle s'est sentie humiliée par une collègue. Puisqu'elle a refoulé sa colère et sa frustration dans un recoin de sa conscience, le rêve lui a permis de libérer l'énergie négative emmagasinée dans son subconscient. Elle éprouve alors un soulagement bienfaiteur. La grosse araignée symbolise la personne arrogante qui l'a blessée. En écrasant l'animal, la rêveuse a éliminé la cause de sa souffrance et s'est libérée de l'affront subi. Il s'agit ici d'un rêve compensateur comme le précise le sentiment de soulagement ressenti à la fin du rêve.

Le censeur a accompli sa tâche, soit celle de déguiser des actes interdits en gestes anodins justifiés par un contexte probable et inoffensif.

Pour l'instant, retenez ceci : pour déjouer le censeur, il est primordial de déterminer les sentiments vécus dans le rêve et celui qui s'en dégage. Notez-les précieusement, ils feront de vous un meilleur interprète de vos nuits mouvementées.

LA RELECTURE

Vous avez un journal de rêves contenant une ou plusieurs aventures nocturnes. Tout y est inscrit : la date, le titre, la description et le sentiment final. Vous êtes sur la bonne voie de l'art de rêver puisque vous avez saisi l'importance d'avoir une méthode de travail simple mais essentielle. Votre discipline et votre régularité seront bientôt récompensées.

On ne devient pas un parfait interprète de ses rêves en quelques semaines. Toutefois, vous pouvez accroître dès maintenant la connaissance de vous-même en observant le flot d'images déversé par vos rêves chaque nuit. Ces représentations révèlent vos peurs, vos craintes, vos espoirs et vos désirs les plus secrets. En les relisant une semaine ou un mois plus tard, vous êtes en mesure de les regarder objectivement. Ce détachement, cette distance créée par le temps permettent de mieux saisir l'information qui s'y trouve.

Vous serez surpris par la quantité de rêves qui surviennent. La relecture vous permet de constater que plus vous leur portez attention, plus ils se font généreux. Ils ne demandent qu'à être consultés afin de vous aider à mieux vivre l'instant présent. Ils vous informent et vous avertissent tout en maintenant votre équilibre.

En relisant mon journal de rêves, j'ai constaté un fait étonnant : la majorité des rêves inscrits ont été oubliés dans les heures ou les jours suivants. Si je ne les avais pas notées, les images effacées de ma mémoire n'auraient pu profiter du regard objectif de ma relecture.

*En effet, les rêves ne s'étudient pas isolément. Ils constituent une trame s'inscrivant elle-même dans une sorte de grande structure développée sur l'année, et se déroulant sur notre temps terrestre**.

Cette précieuse collecte d'informations est essentielle pour bénéficier des avertissements, messages ou conseils que les rêves vous prodiguent. La relecture doit devenir une habitude régulière. Consulter votre cahier de rêves, c'est vérifier les renseignements pour être informé, vigilant et capable de découvrir et d'apprécier les trésors cachés de la nuit.

LES CYCLES

La vie en général foisonne d'événements cycliques comme les saisons, les marées, le jour et la nuit; chaque individu expérimente aussi ses propres biorythmes. Les rêves sont également soumis à ces forces cycliques. Rien n'est statique : il y a des hauts et des bas. Les périodes riches en rêves sont suivies de temps morts, de panne sèche. On a l'impression de ne plus rêver; par conséquent, rien n'est inscrit dans le journal.

Pendant ces périodes, notez quelques sentiments au réveil ou profitez simplement de cette absence de matière onirique pour vous accorder un repos bien mérité. Ce petit recul est souvent très bénéfique. Une fois reposé, vous reprendrez votre discipline d'écrire.

---

* Saltvage, Geneviève, *Décodez vos rêves*, Éditions Presses Pocket, Paris, 1992, p. 49.

Ce cycle de repos est aussi valable lorsque vous perdez l'intérêt de noter vos rêves, même si vous en avez plusieurs chaque nuit. Permettez-vous quelques jours de congé, surtout si vous avez été assidu avec votre journal.

Cependant, le cycle de relâche terminé, hâtez-vous de reprendre vos bonnes habitudes, sinon vous risquez de retomber sous l'emprise de l'inertie et de perdre tout ce que vous aviez gagné grâce à la discipline.

Avec les années, j'ai appris à respecter ces tendances cycliques et à ne pas me culpabiliser. Je reste à l'écoute de mes besoins en m'adaptant aux situations. Je peux ainsi garder un équilibre intérieur et être heureuse dans mes actions et décisions.

5

La mémoire du rêve

Les alliés de la mémoire du rêve
sont divisés en trois catégories :
avant, pendant et après le sommeil.

Pourquoi certaines personnes se souviennent-elles de leurs rêves alors que d'autres ne le peuvent pas ? Est-ce un hasard, un privilège ou une aptitude ? Y a-t-il des gens qui ne rêvent jamais ?

Excellente nouvelle, tout le monde rêve ! Grâce aux électro-encéphalogrammes, appareils de détection des ondes cérébrales, les scientifiques ont démontré que cette portion du sommeil est commune à tous et que de plus elle est essentielle à la survie. Les recherches menées en laboratoire du sommeil sont unanimes. Si un observateur réveille le dormeur au moment de l'apparition d'un rêve, celui-ci se souvient aisément des images visionnées. Les sceptiques ont ainsi eu la preuve qu'ils rêvaient comme tout le monde.

De plus, les expériences ont aussi validé la valeur vitale du rêve. Une personne privée de sommeil paradoxal, celui où apparaît le rêve, affiche à la longue des problèmes de santé mentale qui peuvent aller jusqu'à des troubles psychiques graves.

Nous verrons des moyens de faciliter le rappel de nos rêves. Voyons d'abord les obstacles les plus fréquents.

LES ENNEMIS DE LA MÉMOIRE DU RÊVE

Pourquoi certaines personnes ont-elles de la difficulté à se souvenir de leurs rêves ?

Ennemi numéro un : le **manque d'intérêt**. Depuis quand les rêves vous intéressent-ils ? Est-ce une simple curiosité ? Êtes-vous peu motivé pour comprendre l'importance des rêves dans votre vie ? Sont-ils pure fantaisie ou divagations sans aucun sens ? Toutes ces raisons sont autant de préjugés nuisibles à la mémorisation du rêve. L'indifférence à vos activités nocturnes gêne considérablement la capacité de rapporter les images oniriques. Au contraire, un désir sincère de les comprendre et la certitude qu'elles peuvent vous aider sont des préalables favorables. Et devenir passionné contribue grandement à s'en rappeler.

Ennemi numéro deux : la **peur**. Peur de quoi ? Peur de savoir qui nous sommes réellement, car les rêves nous révèlent notre véritable nature, sans fausses apparences ou artifices. La nuit, les masques tombent, un à un. L'illusion disparaît et fait place à la réalité : nous voici seul avec nos faiblesses et nos peurs. Mais rassurez-vous ! les rêves dévoilent les problèmes pour mieux nous aider à les surmonter. Comment guérir un malaise s'il n'est pas d'abord précisé ?

Précieux conseillers, les rêves diagnostiquent les problèmes qui nuisent à notre équilibre et à notre épanouissement. Comprendre ce rôle est l'antidote par excellence contre la peur. Pour améliorer une condition, il faut savoir en quoi elle est déficiente. Les rêves sont des miroirs magiques (parfois même grossissants) reflétant nos petits et grands tourments.

Ne craignez pas ces images nocturnes. Au contraire, soyez-leur reconnaissant de cette franchise : vous épargnerez du temps et de l'énergie en surmontant au plus vite cet obstacle à votre croissance personnelle.

Ennemi numéro trois : l'**ignorance**. Combien de belles occasions m'a-t-elle fait rater ! J'ai toujours été fascinée par les rêves, mais j'ignorais leur importance. Il y a autant d'informations qui circulent la nuit que le jour et la majorité des gens croient que le monde onirique relève de la fantaisie et de l'illusion. En reconnaissant le rôle majeur de cette activité, on déclenche automatiquement la mémoire du rêve. Depuis plus de 22 ans, la rédaction assidue de mon journal de rêves me prouve hors de tout doute l'importance qu'il faut leur accorder. Ignorer l'apport inestimable qu'ils ont dans notre vie peut constituer une barrière à leur mémorisation.

Ennemi numéro quatre : la **fatigue**. Non pas celle ressentie après une journée normale de travail, mais un épuisement intense. Le besoin de sommeil profond peut alors affecter les brefs moments d'éveil nécessaires pour se rappeler un rêve qui vient de se dérouler.

Souvenez-vous que le rêve apparaît après 90 minutes de sommeil lent, à la limite de l'éveil. Quelques minutes de cinéma intérieur et vous retombez dans le sommeil profond ou léger pour un autre cycle de récupération.

Se souvenir d'un rêve demande un effort de concentration pour fixer les images dans la mémoire. Lorsqu'un trop grand surmenage vous empêche de fournir cet effort supplémentaire, peu de rêves sont récupérés de votre nuit réparatrice.

Pour contourner l'obstacle, ménagez-vous de courts moments de repos pendant la journée afin d'éviter l'épuisement le soir. L'adepte du petit écran rivé à son fauteuil jusqu'aux petites heures du matin pourrait songer à sacrifier une heure ou deux de télévision au profit de quelques rêves d'aventure où il serait lui-même le héros.

Ennemi numéro cinq : le **réveil brusque**. Est-ce le son strident du réveille-matin qui vous tire brutalement de votre sommeil ? Ou encore les cris des enfants affamés qui réclament leur petit déjeuner ? Les secondes sont-elles comptées dès que vous ouvrez l'œil pour démarrer votre journée ?

Pour s'activer, la mémoire du rêve nécessite un traitement en douceur. La hâte ne lui convient pas du tout. Elle préfère les réveils agréables qui donnent l'impression d'avoir tout le temps voulu.

Pour créer cette ambiance, j'utilise un radio-réveil qui diffuse de la musique au lieu de faire retentir une sonnerie; de plus, je le règle 15 minutes avant l'heure à laquelle je dois me lever. Ces minutes de grâce sont réservées au rappel de mes rêves. Je ferme la radio, garde les yeux fermés et porte mon attention sur les dernières images ou les dernières sensations vécues durant la nuit. Peu à peu, je récupère un ou plusieurs rêves. J'inscris d'abord sur un petit calepin les mots importants, en partant du dernier rêve du matin, puis je remonte vers la nuit en captant les autres images, que je note au brouillon sur une autre page de mon calepin. Une fois bien réveillée, le matin même ou à un autre moment de la journée, je transcris au propre dans mon journal le récit complet, incluant la date, le titre et le sentiment final. Cette seconde étape permet une compilation structurée et ordonnée facilitant l'analyse.

Évidemment, nous ne sommes pas disposés tous les matins à réaliser ces doux réveils, soit par manque de temps, soit par manque de motivation. Pour varier cette pratique quotidienne, choisissez une journée par semaine pour noter vos rêves. Votre cerveau obéira à cet horaire et vos rêves les plus importants se manifesteront à ce moment-là. L'explication de ce phénomène relève davantage de l'irrationnel que de la logique. Ayez confiance et cette expérience deviendra votre meilleur atout.

Ennemi numéro six : les **médicaments**. Certaines médications, comme les somnifères et les antidépresseurs, réduisent les périodes de sommeil paradoxal (avec mémoire de rêves) pour faire davantage de place au sommeil lent (sans rêve). Ce sommeil semble plus récupérateur au premier abord; cependant, il l'est moins psychologiquement puisque vous êtes privé de l'effet bénéfique des rêves.

Un septième ennemi, plus rare cependant, est celui d'un traumatisme causé par un **cauchemar**. Le mauvais rêve peut être tellement terrorisant que la conscience voile le souvenir du rêve afin de prévenir la résurgence d'autres images troublantes. Une dame me raconte qu'elle ne se souvient d'aucun rêve depuis plusieurs années. Le dernier, qui date de son enfance, était un cauchemar où elle vit ses parents morts. Au réveil, en proie à une terrible peur et en larmes, elle court à la chambre de ses parents pour vérifier leur présence. Ils sont vivants. Elle retourne se coucher et décide, consciemment ou inconsciemment, de ne plus rêver. Aujourd'hui, il ne lui reste plus qu'à effacer cet ordre trop bien enregistré pour soulever à nouveau le voile de l'oubli et renouer avec ses rêves.

LES ALLIÉS DE LA MÉMOIRE DU RÊVE

Les alliés de la mémoire du rêve sont divisés en trois catégories : avant, pendant et après le sommeil.

Avant le sommeil

Allié numéro un : la **relaxation**. S'endormir immédiatement après un bulletin de nouvelles lugubre ou après un film d'horreur n'est pas très réconfortant pour l'esprit et vous n'avez pas le goût de revoir toutes ces images négatives fraîchement emmagasinées dans votre subconscient. Alors, un nuage recouvre doucement la conscience, et les rêves sont gardés derrière ce rideau protecteur. Au réveil, aucun souvenir ne subsiste des péripéties de la nuit.

C'est pourquoi il est préférable de vous accorder un moment de relaxation afin de créer une trêve entre la journée mouvementée qui s'achève et la nuit bienfaitrice qui s'amorce.

La lecture d'un ouvrage inspirant, l'écoute d'une musique de style classique ou Nouvel Âge, la méditation, la contemplation, les exercices de respiration et parfois même l'écriture sont autant de moyens pour retrouver le calme intérieur. Cette détente mentale permet un meilleur départ vers le monde du rêve.

Allié numéro deux : la **visualisation**. De nombreuses expériences ont démontré la supériorité du pouvoir de l'imagination sur celui de la volonté. La plus populaire est celle d'une planche de 15 centimètres de largeur sur laquelle on marche. Placée à même le sol, il est très facile de la traverser en longueur. Par contre, installée entre deux édifices, au vingtième étage, il est presque impossible de parcourir le même trajet. Et pourtant, c'est la même planche ! La différence se situe dans le pouvoir d'imagination de l'exécutant : au vingtième étage, il se visualise en train de tomber alors qu'au sol il n'y pense même pas.

La même loi s'applique à votre capacité de mémoriser les rêves. Malgré un désir intense et une grande volonté de vous en souvenir, si vous ne réussissez pas à vous visualiser en train de remplir des pages et des pages de votre journal de rêves, vous n'obtiendrez aucun résultat intéressant.

Avant de vous endormir, prenez quelques instants pour faire cette visualisation créatrice : voyez-vous en train de raconter vos nombreux rêves à votre conjoint ou à une personne proche; imaginez votre journal garni de récits nocturnes; sentez la joie de pouvoir enfin communiquer avec vos rêves. Ils en ont tellement à vous raconter! Ressentez cet émerveillement devant le riche contenu des images de la nuit. Votre capacité à « faire comme si », jumelée à une forte détermination, augmentera vos chances de succès.

Allié numéro trois : le **postulat**. Faire un postulat, c'est affirmer un énoncé avec la certitude qu'il s'accomplira sans l'ombre d'un doute. Voici des exemples de postulats relatifs à la mémoire du rêve :

— Cette nuit, je vais rêver et me souvenir de mes rêves.

— Demain matin, au réveil, je vais me rappeler tous mes rêves.

— Je me souviens facilement de mes rêves.

— Je rêve beaucoup et je m'en souviens de plus en plus.

Un postulat se construit avec des affirmations et actions positives comme : « Je vais ». Évitez les négations comme : « Je n'oublierai pas », ou les : « J'aimerais » et les : « Peut-être ». Soyez catégorique : le subconscient réagit mieux aux affirmations directes et il ne demande qu'à être dirigé ; d'ailleurs, le pouvoir de la publicité nous le démontre chaque jour. Cette fois, c'est vous qui allez lui suggérer l'action appropriée à vos besoins.

Créez vos propres postulats ; utilisez votre imagination, votre originalité et, si le cœur vous en dit, mettez-y de la fantaisie. Il n'y a pas de limites à oser, vous y gagnerez de toute façon.

Pour permettre la réalisation d'un postulat de rêve, il est important de vérifier si les trois conditions préalables sont respectées : avoir un désir sincère, maintenir une intention noble et reconnaître un besoin prioritaire.

Avoir un désir sincère signifie que la demande n'est pas une simple curiosité mais bien un souhait venant du cœur. Maintenir une intention noble implique de se souvenir qu'on doit agir pour le bien de tous (le nôtre et celui des autres). Finalement, déterminer un besoin prioritaire exige de s'assurer que le postulat est en fonction des besoins du moment. Il ne reste plus qu'à faire confiance et à lâcher prise car le rêve s'occupe des détails. Une liste de différents postulats est détaillée dans la section des tableaux à la fin du livre.

Allié numéro quatre : le **rituel**. Vous êtes étonné par cet outil un peu méconnu ? Pourtant, on s'entoure continuellement de rituels sans s'en rendre compte : se brosser les dents avant d'aller se coucher ou au lever, se nettoyer les mains avant de manger, etc. Pourquoi ne pas en ajouter un nouveau qui celui-là aura un impact sur la mémoire du rêve ?

Voici quelques suggestions qui ont fait leurs preuves. Certains ouvrent leur journal de rêves et placent un crayon tout près. D'autres souhaitent bons rêves à leur conjoint ou à un membre de leur famille. Plusieurs placent un verre d'eau sur la table de chevet et en prennent une gorgée en se disant qu'au réveil, au moment de boire à nouveau, tous leurs rêves referont surface.

Il y a plusieurs variantes à cette technique du verre d'eau, dont celle de le boire au complet et de favoriser ainsi un réveil en pleine nuit pour satisfaire un besoin naturel. Une vessie trop pleine vous fera profiter d'un court réveil où vous pourrez noter le rêve fraîchement achevé. Et si la fin du rêve concerne la recherche effrénée d'un cabinet d'aisances, inutile d'en prendre note : cette portion n'est évidemment pas symbolique.

Pendant le sommeil

Allié numéro cinq : les **brefs réveils**. Ils sont provoqués par un bruit dérangeant (la pluie, le tonnerre, un ronflement désagréable, une porte qui claque au vent...), une condition extérieure (le froid, une chaleur excessive...), une vessie exigeante, ou tout simplement un réveil naturel après un cycle de sommeil complété.

Vous arrive-t-il de vous réveiller à quatre ou cinq heures du matin, frais et dispos, pour constater qu'il est trop tôt pour vous lever ? Ces moments sont précieux pour noter les rêves des heures précédentes.

Pour les nuits où je prends conscience d'un rêve et veux en faire la description par écrit sans trop m'éveiller, j'ai élaboré une technique de notation qui m'évite d'avoir à allumer la lampe de chevet. Je garde toujours un calepin de petit format et un crayon à portée de main. Au moment propice, tout en restant couchée sur le ventre, je prends le calepin avec ma main gauche et j'en évalue les dimensions pour ne pas écrire sur le drap. Puis j'inscris les mots clés du rêve en repérant, toujours de façon tactile, les bords de la petite feuille. Malgré toutes ces précautions, j'avoue écrire parfois les mots les uns sur les autres et devoir aiguiser mes talents de devin pour déchiffrer le tout. Plus tard dans la journée, je retranscris le rêve au complet dans mon journal de rêves.

Après le sommeil

Pour conclure, voyons quelques techniques de rappel favorisant la mémoire du rêve. Elles sont en relation avec le corps, la pensée et l'attitude.

LE CORPS

Au réveil, autant que possible demeurez immobile, les yeux fermés, et attendez l'arrivée d'une image afin de capter un ou plusieurs rêves. Si, après quelques minutes d'immobilité, rien ne se passe, changez de position tout en conservant les yeux clos. Il arrive que les images oniriques reviennent lorsque le corps se retrouve dans la position physique adoptée lors du rêve. Vous faites ainsi appel à la mémoire corporelle. En tournant tantôt à droite, tantôt à gauche et finalement sur le ventre, vous restez à l'écoute d'un petit filon de rêve qui, une fois attrapé, permettra de reconstruire le scénario complet.

J'adore ce petit cérémonial qui me permet de profiter de quelques minutes supplémentaires dans un lit bien douillet. Ce jeu de roulade sous les draps est un moment de douceur et de bien-être avant le tumulte trépidant de la journée.

Après un premier rêve attrapé, il est fréquent d'en saisir un second et même un troisième. Une fois les mots clés notés sur le calepin ou dictés au magnétophone, vous choisirez le moment propice pour leur transcription au propre dans votre journal de rêves.

LES PENSÉES

Si la mémoire corporelle ne suffit pas à ramener une image, voici une autre technique. Revoyez en pensée toutes les personnes qui vous sont chères, une à une. Les personnes aimées constituent souvent les personnages de nos rêves et il est fort probable qu'en portant votre attention sur eux un bout d'histoire rejaillisse.

Si rien ne se passe, dirigez votre pensée vers les derniers événements de votre vie. Ceux-ci génèrent fréquemment des scènes qui leur sont reliées.

L'ATTITUDE

L'important dans ces moments de rappel est de maintenir une attitude de réceptivité et d'ouverture intérieure. Gardez votre regard tourné vers la nuit et non vers les soucis de la journée qui s'amorce. Remettez à plus tard les préoccupations concernant les vêtements à porter ou le type de petit déjeuner à préparer. Lors des premiers instants du réveil, demandez-vous : « À quoi ai-je rêvé, cette nuit ? » Demeurez attentif à toutes les images, les idées ou les sensations.

Le secret est de se sentir engagé dans cette démarche et d'y consacrer le temps nécessaire. Que ce soit un seul matin par semaine ou tous les matins, il importe de conserver une attitude de grande réceptivité. Placez-vous dans une attente joyeuse et les trésors de la nuit vous enrichiront.

Je ne saurais passer sous silence une autre attitude importante : la **gratitude**. Nourrissez un sentiment de reconnaissance face à vos rêves, qui vous guident sans relâche, vous informent, vous préviennent et vous assistent. La gratitude permet d'ouvrir le cœur et favorise une plus grande habileté à recevoir vos rêves, à vous en souvenir et à les comprendre.

La mémoire du rêve est une faculté qui se cultive. La patience, la persévérance et la discipline sont vos associées les plus utiles. En étant fidèle à votre engagement initial de tout noter dans votre journal de rêves, vous allez consolider la communication avec vos mondes intérieurs. Plus vous êtes à l'écoute de vos nuits, plus elles vous parlent.

6

Le langage du rêve

Cela ressemble à nos habitudes de changer de chaîne dès que l'émission télédiffusée nous ennuie. Ainsi, le rêve fait son zapping *lui-même.*

Pour bien communiquer avec une autre personne, il faut connaître et parler le même langage. Chaque peuple s'exprime en une ou plusieurs langues, chaque pays possède un parler propre et des expressions locales. Le langage particulier au rêve s'appelle « l'imagerie ». Il est l'expression de l'hémisphère droit du cerveau.

L'IMAGERIE

L'imagerie est un ensemble d'images ou de symboles représentant des faits, des personnages ou des concepts. C'est un langage à la fois universel et personnel, car tout le monde peut interpréter des images, et ces formes iconiques ont une signification différente selon chaque individu. Le symbolisme est le plus ancien langage connu sur Terre.

La pensée symbolique est habile à décrire les états d'âme. Elle fonctionne sur un mode associatif et permet de communiquer le subtil et l'insaisissable. Elle utilise les images et les symboles. C'est le langage du poète, du peintre, du musicien... et du rêveur[*].

Les symboles représentent des idées et des principes ; leur valeur est bien au-delà des apparences. Ces figures issues du rêve possèdent plusieurs qualités. Elles sont d'abord vivantes : elles ont le pouvoir de

---

* Collectif de l'Arc-en-ciel, *Et si les rêves servaient à nous éveiller ?*, Éditions Quebecor, Montréal, 1991, p. 143.

provoquer une réaction, elles nous parlent. Elles utilisent parfois un style très provocant et souvent notre jugement à leur égard est sévère : « J'ai fait un rêve complètement ridicule, ça n'a aucun sens ! » ; mais de cette manière nous ne risquons pas de l'oublier.

Les images sont aussi puissantes, car elles véhiculent de fortes émotions nécessaires à l'apprentissage de la vie en général. Par exemple, certains rêves laissent au réveil la sensation d'avoir réellement vécu les scènes visionnées, favorisant ainsi un changement intérieur indéniable. Une participante à un atelier me raconte un rêve où elle était témoin, à la fois comme spectatrice et comme actrice, d'une scène de dispute dans un couple. L'agressivité verbale de l'homme envers la femme était telle qu'elle a compris l'impact de la violence conjugale. Cette expérience à l'état de rêve lui a procuré plus de compassion pour les victimes de tels actes.

L'imagerie fonctionne avec la loi d'économie : elle fournit le maximum d'informations en un minimum de temps. Comme le veut l'adage, *une image vaut mille mots*. Le rêve utilise pleinement cette qualité d'efficacité. Ce qui me rappelle un rêve passé. Je suis à une période de ma vie où je dois coopérer avec une nouvelle personne difficile d'approche ; j'aurais préféré ne pas la côtoyer quotidiennement. Je fais un rêve dans lequel je remets une magnifique rose rouge à cette nouvelle venue. Le sentiment ressenti à la fin du rêve est l'amour inconditionnel. J'en suis fort surprise car, dans ma vie éveillée, cette personne suscite en moi un sentiment de trouble. L'intensité du rêve (tout comme celle de la couleur de la fleur) est telle qu'il me faut adopter une attitude plus amicale. Les années suivantes m'ont prouvé la sagesse de cette information qui a favorisé des modifications dans mon comportement. Ce court rêve m'a fait comprendre le pouvoir de l'amour dans mes relations avec les gens.

En plus d'être efficaces, les images sont directes. Elles vont droit au but et se comparent au montage d'un film en ne montrant que l'essentiel de l'histoire à raconter. Ne soyez donc pas étonné de vivre des séquences en apparence incohérentes. Le rêve ne révèle que les images pertinentes et importantes. Cela ressemble à nos habitudes de changer de chaîne dès que l'émission télédiffusée nous ennuie. Ainsi, le rêve fait son *zapping* lui-même. Si les symboles l'exigent, le scénario peut débuter durant l'été et se terminer l'hiver. Voici un rêve de Marielle :

> « Je conduis une voiture avec quatre membres de ma famille. Ensemble, nous quittons la ville pour aller à la campagne. C'est une belle journée d'été. Au milieu du trajet, la voiture est bloquée par une tempête de neige. Impossible d'aller plus loin. Il faut rebrousser chemin. »

Au réveil, Marielle note les sentiments suivants : frustration, puis acceptation. Elle intitule son rêve : « La route barrée ». Pour analyser son rêve, Marielle examine ce qu'elle vit en rapport avec les personnages du rêve. Depuis quelques mois, elle a commencé avec sa famille un projet d'association. Elle sait intuitivement que le rêve la prépare à un changement de direction causé par un obstacle inattendu, symbolisé par la tempête qui bloque la route. Le sentiment d'acceptation ressenti à la fin du rêve lui confirme que ce serait bien ainsi.

Comme au cinéma, le rêve se construit avec des effets spéciaux servant les besoins de la cause. Les décors se modifient à volonté, les personnages disparaissent à tout moment et réapparaissent au besoin. Vous, le rêveur, devenez tantôt l'observateur de la scène qui se joue, tantôt l'acteur principal.

Dans l'univers des images, tout est possible ; rappelez-vous les dessins animés aux scénarios invraisemblables. De la même façon, le monde du rêve se construit avec des fantaisies et des extravagances que seule votre imagination débordante peut créer. La logique, le bon sens et la raison cèdent la place au non-conformisme, aux divagations et à l'irrationnel.

Au lieu d'être déconcerté et confondu devant des histoires ahurissantes, soyez plutôt ravi de cette capacité à créer qui vous habite. Chaque nuit, vous devenez un metteur en scène, un scénariste et un producteur dignes des plus beaux films de science-fiction. Aucune limite de budget et tous les endroits vous sont accessibles. N'est-ce pas extraordinaire ? Émerveillez-vous ! Vos rêves sont vos créations.

Cependant, il est parfois difficile de s'émouvoir quand le rêve devient cauchemar. Derrière ces tourments et ces obsessions se cachent des peurs et des craintes auxquelles il est temps de faire face, ou encore des prises de conscience qu'il est nécessaire d'accepter afin de corriger une attitude ou une façon de penser erronée.

Le cauchemar qui ne provient pas de troubles psychologiques graves est tout simplement une mise en scène qui veut surprendre, déranger et même secouer le rêveur afin de lui faire prendre conscience d'un message important, d'une information capitale ou d'une réalisation majeure. Il bouscule pour mieux alarmer, il bouleverse pour mieux impressionner.

Il a parfois un rôle thérapeutique en amorçant un processus de guérison grâce à la puissante énergie qu'il véhicule. L'image terrifiante pousse le rêveur à agir et provoque ainsi un changement de conscience nécessaire à la transformation.

LES SYMBOLES UNIVERSELS

Votre inconscient est le réservoir de toutes vos expériences passées et présentes. Ces images emmagasinées sont en fait des symboles représentant un ensemble d'informations. Tout comme le drapeau représente un pays et la balance évoque la justice, une image spécifique du rêve symbolisera quelque chose de précis pour le rêveur.

Il existe des symboles universels qui appartiennent à toutes les cultures et à toutes les époques (l'eau, le feu, la mort). D'autres, plus individuels, proviennent de vos expériences personnelles (personnages familiers, objets, actions).

La liste des symboles universels reconnus par la psychanalyse étant assez considérable, j'ai retenu pour les besoins de ce livre les principaux et les plus fréquents. Et, afin de simplifier le plus possible l'analyse du rêve, j'ai aussi limité la signification de ces symboles.

L'**eau** représente généralement les émotions. Observez les conditions où les scènes se déroulent. Y a-t-il envahissement des terres par l'eau, donc envahissement des émotions dans votre vie en général ? L'eau est-elle limpide ou brouillée, témoignant de sentiments clairs ou confus ? Êtes-vous dans l'eau, sous l'eau ou sur l'eau ? Cela pourrait indiquer votre degré de contrôle sur votre vie émotive.

Le symbolisme de l'eau suggère encore la purification en termes d'élimination, d'épuration ou de nettoyage. Une amie se souvient de deux rêves avec l'eau comme élément important :

> «Une nuit, je vais à la salle de bains, lorsque je remarque des rideaux trempant dans le bain. L'eau brouillée indique qu'ils nécessitent un bon lavage. Je tire

la chasse d'eau et voilà que le niveau d'eau se met à grimper : je suis prisonnière de cette pièce devenue étanche et patauge dans toute cette eau sale. Lorsque le niveau atteint ma taille, je regarde la porte et y vois, dans l'embrasure, une très forte lumière blanche, puis l'eau se retire. »

Quelques mois plus tard :

« Je plonge dans une piscine à l'eau cristalline et nage de façon professionnelle : je réussis des numéros incroyables. Je suis championne ! »

Dans les deux cas, les rêves font référence aux émotions de la rêveuse. Le premier survient alors que la rêveuse lutte constamment contre le désespoir et elle peut être rassurée : le niveau de tolérance atteint, tout va se régler ; il lui faut être patiente. Dans le second cas, on constate nettement le contrôle émotionnel dans sa vie de tous les jours.

L'eau peut aussi symboliser la fécondité, dans le sens de production ou de création. Voici un merveilleux rêve fait il y a plusieurs années :

« Je marche sur une plage magnifique et les vagues de la mer viennent se briser à mes pieds. Tout à coup apparaissent deux personnes, une musicienne célèbre et une conférencière reconnue. Chacune me serre dans ses bras, puis elles disparaissent, me laissant seule devant cet immense océan qui m'attire. »

Il se dégage une sensation de bien-être et d'énergie. J'en conclus que j'ai moi aussi accès à l'océan de créativité (la musicienne) et de communication (la conférencière). Il ne tient qu'à moi de me baigner dans la mer et d'être davantage productive dans ces deux secteurs de ma vie.

La **mort**, symbole fréquent et efficace qui est rarement oublié, représente un changement, une transformation ou la fin d'un cycle. Cette image souvent mal interprétée et peu comprise des rêveurs est la plupart du temps de bon augure. Il ne faut surtout pas prendre ce symbole au pied de la lettre et craindre une mort prochaine pour vous ou pour les personnes décédées selon le scénario du rêve.

En général, le rêve indique la mort d'une partie de soi qui n'a plus sa raison de vivre. Une transformation majeure a lieu à l'intérieur du rêveur et la bonne nouvelle est transmise par ce symbole privilégié qui ne laisse personne indifférent.

Que ce soit une partie de vous, symbolisée par le personnage mort (l'oncle enragé = colère ; l'amie gênée = timidité ; le frère paresseux = inaction) ou une influence néfaste représentée par une personne véhiculant ce sentiment (la mère dominatrice, le père indifférent, le copain envahissant, le professeur écrasant), cette mort illustre une libération, une renaissance et de grands changements. Si au réveil le sentiment dominant est la tristesse, ce n'est que le chagrin du vieux moi sur le point de disparaître. Réjouissez-vous de cette métamorphose intérieure qui témoigne de votre évolution. Un proverbe soufi dit : *Lorsque le cœur pleure ce qu'il a perdu, l'âme rit de ce qu'elle a gagné.*

La **maison** représente un autre symbole universel. Elle est souvent différente de celle que vous habitez dans votre vie éveillée. Dans le rêve, vous la connaissez très bien, c'est votre chez-soi. Elle symbolise votre vie intérieure, meublée de vos sentiments et pensées. Elle délimite votre espace interne.

Il est important de noter dans quelles conditions elle se trouve. Est-elle propre et habitable ? Elle témoigne d'une certaine paix intérieure. Poussiéreuse et encombrée ? Elle laisse entendre qu'il y aurait un bon ménage des pensées parasites à faire. Est-elle en rénovation ? Elle vous signale une période de remise en question et de changements. Les portes et fenêtres sont-elles closes ? Elles dénoncent peut-être une fermeture temporaire sur le monde extérieur. Y a-t-il des invités joyeux qui désignent une vie sociale agréable ou est-elle vide et triste pour vous faire réaliser la solitude qui vous envahit ?

Voici des exemples où ma maison intérieure s'est modifiée :

> Titre : La nouvelle fondation
> «Dans ma maison, on refait la fondation au complet. On creuse profondément dans le sol. Il y a des poutres d'acier qu'on solidifie. J'observe toutes ces transformations. Sentiments : transformation, solidification.»

À cette période de ma vie, je travaille sur les bases de mes valeurs intérieures et cette démarche m'apporte une solidification.

Quelques mois plus tard, je fais le rêve suivant :

> Titre : Les meubles neufs
> «Je fais du ménage dans ma maison. J'ai acheté de nouveaux meubles blancs. Cela est très beau, clair et propre. Des gens m'aident. Sentiments : agrandissement, harmonie, bien-être.»

Ce rêve m'indique que tout va bien intérieurement grâce aux changements en cours.

Un autre scénario vient ajouter une nouvelle donnée :

> Titre : La grande bibliothèque
> «Je suis dans ma maison. Je constate tout à coup qu'il y a un mur complet rempli de livres rangés sur plusieurs étagères. J'en suis très heureuse.»

Cette scène témoigne d'une période active que j'amorce joyeusement en acquisition de connaissances intellectuelles par la lecture.

Ces précieux renseignements sur votre maison de rêve permettent de faire le point, d'évaluer votre état intérieur et de constater les conditions actuelles et futures de votre intimité. Ainsi, vous pouvez mesurer votre degré de bien-être ou d'inconfort. Ces informations permettent d'effectuer les modifications nécessaires pour retrouver l'harmonie intérieure et mener une vie plus intéressante et gratifiante.

Ce qui se manifeste à l'extérieur de nous dépend en grande partie de ce qui se passe à l'intérieur. Embellir le dedans pour dégager la beauté extérieure, voilà une petite formule simple et efficace à retenir.

Les **personnages** sont d'autres symboles de votre personnalité et de votre énergie intérieure. Ils sont des agents réflecteurs d'un trait de caractère en particulier. En général, sauf pour le rêve télépathique, où les gens sont réels, tout ce beau monde qui habite vos rêves représente des composantes de votre individualité.

La première question à se poser en étudiant ce type de rêve est : « Que représente pour moi ce personnage ? » ou encore : « Quels sont la qualité et le défaut dominants que je connais de cette personne ? » Il s'agit ensuite d'utiliser l'effet miroir pour constater que cet élément apporte un renseignement précis sur vous-même. Cette technique de décodage demande beaucoup de courage et d'honnêteté, car il est difficile d'admettre nos faiblesses et nos défauts. L'ego a horreur de ça ! Par contre, les bénéfices seront grands puisque les renseignements dévoilés pourront vous aider à relever les lacunes et les erreurs de parcours. Le rêve de Solange est un bon exemple :

« J'entre dans mon appartement en compagnie de ma sœur Marielle. Je constate que quelqu'un a forcé la porte. Une fois à l'intérieur, j'entends du bruit et devine que le voleur est encore là. J'ai très peur et je crie à ma sœur de se dépêcher de monter au deuxième étage pour se cacher. Marielle reste calme et ne réagit pas, ce qui m'enrage. Je tire ma sœur passive par le bras et l'entraîne avec moi en haut de l'escalier. Le voleur monte lui aussi et ma sœur et moi nous cachons dans une chambre. Marielle, inactive, ne réagit toujours pas et je saisis un téléphone pour appeler le 911. La ligne ne fonctionne pas. Je suis au bord de la panique. Le voleur passe un couteau à travers la porte close. Je me réveille, terrifiée. »

Le sentiment dominant que Solange a noté à la fin de ce rêve est la frustration de voir sa sœur demeurer passive devant un tel danger.

Ayant éliminé l'aspect prémonitoire de ce rêve (pas de déménagement en vue), la rêveuse a examiné les éléments symboliques. L'indice fourni par le sentiment dominant, la frustration, donne une première piste d'analyse. Il signale qu'une partie d'elle-même, inactive, symbolisée par sa sœur passive, est incapable de réagir devant les menaces de la vie, ce qui la dérange fortement. Cette faiblesse de personnalité établie, libre à elle de changer cette tendance en travaillant sur elle-même soit dans sa vie éveillée, soit par le rêve.

Monique fait régulièrement des rêves où intervient le personnage de son père, décédé depuis quelques années. Il représente une force de caractère et, dans ses rêves, lorsqu'elle doit démontrer de l'assurance, il agit à sa place.

Les **animaux**, quant à eux, représentent les instincts qui sommeillent ou s'éveillent à l'intérieur de chacun. Ce contenu instinctif fait ressortir des traits de caractère s'apparentant à l'animal en action dans le rêve. Qu'il soit doux et affectueux comme le gros chat ronronnant de la voisine, ou féroce et agressif comme le tigre prêt à bondir sur sa proie, observez si vous êtes en danger ou au contraire aimé par cet animal.

Remarquez votre contexte de vie. Aimez-vous les animaux ? En avez-vous à la maison ? Souffrez-vous d'une peur incontrôlée de tel ou tel animal ?

Un ami avait la phobie des chiens depuis son tout jeune âge, sans raison apparente. Il n'a jamais subi d'attaque de leur part. Dans ses rêves, il était souvent pourchassé par un gros chien méchant ou par toute une meute. Un jour, il décide d'en finir avec cette peur incontrôlée qui lui cause des désagréments dans son vécu quotidien. Convaincu de l'efficacité des rêves pour surmonter ses peurs, il commence sa thérapie onirique en se laissant apprivoiser par des petits chiots inoffensifs ; puis, il s'aventure graduellement vers des bêtes plus adultes. Il les caresse doucement. Un matin, dans sa vie éveillée, un gentil chien vient se coller contre lui et il constate que sa peur a disparu. Voilà donc une des nombreuses fonctions du rêve, celle de nous aider à vaincre nos peurs.

Arrêtons-nous ici pour l'interprétation des symboles universels afin de conserver le caractère simple et accessible de l'art de rêver qui exige plus d'actions que de connaissances. Celles-ci viendront s'ajouter au gré de l'expérience.

En résumé, cinq symboles universels vous indiquent les principaux secteurs de votre vie éveillée susceptibles de se manifester dans votre vie onirique. Les instincts en éveil se montrent souvent sous les traits d'animaux sauvages ; la vie émotive se dévoile par la présence de l'eau et ses caractéristiques bien spécifiques ; la maison témoigne de l'état de votre vie intérieure ; la mort, cette visiteuse indésirable et pourtant inoffensive, vous révèle la disparition ou la fin d'un vieux moi faisant place au nouveau. La mort peut aussi faire disparaître une influence nuisible qui entrave votre épanouissement intérieur. Finalement, les personnages reflètent les nombreuses parties de votre personnalité. Chaque nuit évoque des scènes révélatrices de votre comportement et de vos attitudes.

LES SYMBOLES PERSONNELS

Ils sont beaucoup plus nombreux que les symboles universels, car ils sont formés à partir de l'expérience individuelle. Dans ce cas-ci, les dictionnaires de rêves sont de peu d'utilité. Le meilleur interprète demeure le rêveur lui-même car lui seul connaît le contexte de ses expériences quotidiennes, ses traumatismes, ses peurs, ses craintes et ses désirs les plus secrets. Le vécu de tous les jours fournit continuellement les matériaux nécessaires à la construction du rêve, grâce aux images recueillies par les pensées, les paroles et les actions.

Le meilleur dictionnaire que vous pouvez posséder est celui que vous allez créer vous-même : votre journal de rêves. J'ai ainsi compilé depuis 22 ans plus de 10 000 rêves. J'ai le seul mérite d'avoir suivi mon intuition, et les rares fois où j'ai tenté de consulter un dictionnaire de symboles je me suis sentie limitée et parfois même confuse dans leur compréhension. L'intuition me ramène sans cesse à moi-même et m'incite à faire mes propres associations d'idées. De plus, ces consultations entretiennent un sentiment de dépendance face à une source extérieure.

Les symboles jouent aussi un autre rôle très important, celui de déguiser ou de camoufler une information trop bouleversante pour la conscience du rêveur. Le censeur entre en scène et filtre l'information car son but est de protéger le conscient de la très grande franchise de l'inconscient. Mais le rêve, très malin, a plusieurs tours dans son sac. Il consulte sa banque d'images et transforme l'action censurée en geste inoffensif. Ce tour de passe-passe est utilisé surtout dans les rêves de compensation. Voici un exemple classique. Bernard, à la suite d'un refus de son employeur de lui accorder les vacances demandées, rêve qu'il poursuit un gros bourdon entré dans sa maison. Il l'attrape et l'écrase avec un grand sentiment de satisfaction. Le censeur laisse passer ces images anodines et le rêveur bénéficie quand même du bienfait du véritable geste perpétré derrière ce stratagème, soit d'avoir éliminé la cause de sa frustration : son patron incompréhensif devenu un bourdon indésirable.

Voici un exemple de rêve spirituel arrêté par le censeur qui n'admet pas la divinité d'une personne :

> Titre : Le bijou en or
>
> « Je reçois un cadeau enveloppé d'un papier de couleur terne. Je l'ouvre et découvre un merveilleux bijou en or qui scintille de mille reflets. »

Les sentiments ressentis à la fin du rêve sont une joie immense et une grande paix intérieure. Ce rêve dévoile à la rêveuse que, sous des apparences ternes (le papier d'emballage, donc l'image peu reluisante qu'elle a d'elle-même), se cache un joyau précieux, l'âme, sa partie divine. Le sentiment est l'indice inestimable de cette reconnaissance (joie et paix intérieure).

L'usage des images qui constituent le langage propre du rêve sert à plusieurs fins. Un symbole procure une foule d'informations qui en disent long, comme offrir une rose rouge à quelqu'un. Un concept ou une idée se transmet facilement par des mots, mais le rêve s'exprime presque toujours par des représentations visuelles et elles doivent être explicites lorsqu'elles jaillissent du subconscient, ce réservoir quasi illimité d'images en provenance de la mémoire individuelle, familiale et raciale. Chaque schéma transporte un lot d'associations qui vous parlent personnellement.

La franchise du rêve étant parfois offensante, pour l'ego bien sûr, le censeur se chargera de vous protéger en brouillant les données. Rappelez-vous que cette fonction peut s'atténuer si vous prenez davantage conscience de votre identité dualiste, âme-ego, principe évolutif *versus* principe du plaisir. Cette dualité cherche à se manifester surtout à l'état de rêve, au moment où le conscient dort.

Le rêve est une métaphore mise en images et en sensations. La métaphore est le procédé par lequel on transporte la signification propre d'un mot à une autre signification qui ne lui convient qu'en vertu d'une comparaison sous-entendue (étouffer de rage, mort de rire, avoir le cœur en lambeaux). Le rêve représente parfois une action symbolisant une réalité autre que celle illustrée par cette action.

Une poursuite infernale peut représenter une situation indésirée qui me talonne. Une catastrophe vue en rêve peut m'indiquer un changement intérieur équivalant à la force du cataclysme observé. Un lieu sombre et angoissant peut signifier une zone de ma vie demeurée obscure.

Les émissions de télévision regardées avant le coucher fournissent souvent une panoplie d'images réutilisables pour construire une histoire dévoilant une information pertinente. À titre d'exemple, une scène de combat en provenance d'un film de guerre peut servir à illustrer une guerre intérieure entre la culpabilité et la jouissance.

Chaque image éveille une émotion qui doit être déterminée afin de faire un lien avec le vécu.

7

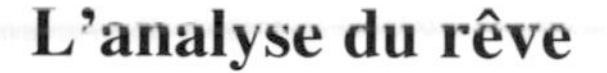

L'analyse du rêve

À l'image du détective qui essaie de reconstituer tous les faits et gestes des personnes soupçonnées, vous pouvez vous transformer en enquêteur qui recherche l'indice révélateur de la solution dans l'énigme.

Certains trouvent difficile, voire inaccessible, le chemin qui les conduit à pouvoir analyser leurs rêves. Pouvons-nous développer cette habileté ? Est-ce réel ou illusoire ?

Mes 22 années d'expérience me permettent d'avancer aujourd'hui que cet art est accessible à toute personne sérieuse et sincère dans sa démarche. Au début, même si je ne possédais aucune technique particulière, j'étais persuadée qu'en transcrivant tous les rêves dont je me souvenais j'obtiendrais des résultats. Un cours spécialisé sur l'approche spirituelle des rêves m'a révélé leur vraie nature : une porte d'accès sur les mondes intérieurs. Il n'en fallait pas plus pour piquer davantage ma curiosité et décupler mon besoin insatiable de savoir. Mon journal de rêves est alors devenu l'informateur par excellence sur mes univers intérieurs.

Imprécise au début, mon analyse s'est peu à peu clarifiée et, avec l'expérience, l'interprétation est devenue plus juste. Mon quotidien a bénéficié du lien qui devenait de plus en plus évident entre ces deux états de conscience : celui de jour et celui de nuit.

Certains préféreront utiliser la méthode facile, plus passive : consulter un dictionnaire de symboles. Cela s'avère parfois décevant car la majorité de ces dictionnaires s'inspirent de clés très élaborées en provenance d'un autre temps et d'une autre culture. Notre société actuelle est davantage logique et matérialiste, donc différente. Ainsi, nous utilisons un langage plutôt rationnel que symbolique.

Avec la technologie moderne (télévision, cinéma, jeux vidéo et ordinateurs), notre subconscient regorge d'images nouvelles et possède une banque suffisamment complexe de symboles contemporains. La publicité visuelle nous bombarde quotidiennement de clichés qui s'insèrent dans notre mental. Cela fournit un grand réservoir de matériaux réutilisables pour construire notre cinéma nocturne. À titre d'exemple, le symbole du requin n'est apparu dans les rêves des enfants nord-américains que depuis quelques années. Une étude menée par la psychologue américaine Patricia Garfield démontre que le requin se place au second rang des animaux présents dans les cauchemars des enfants. Elle relie ce nouveau symbole à la sortie en 1975 du film d'épouvante *Les Dents de la mer*[*].

Nous allons explorer trois aspects de l'analyse du rêve : l'**approche par associations,** qui réunit les capacités analytiques du cerveau gauche et celles synthétiques du cerveau droit ; l'**approche mentale**, principalement logique ; et l'**approche intuitive**, plus globale et directe.

Deux premiers éléments essentiels préparent à l'analyse du rêve : la discipline et l'écoute intérieure.

LA DISCIPLINE

Pour devenir un bon pianiste, l'aspirant doit s'astreindre sans relâche à d'interminables gammes. De même, la personne décidée à maîtriser l'art de rêver doit s'habituer à noter ses rêves quotidiennement afin de se sentir à l'aise avec leur contenu.

Avec une forte motivation initiale et un profond désir d'accomplissement, la discipline perdra peu à

---

* Garfield, Patricia, *Comprendre les rêves de vos enfants*, Éditions Albin Michel, Paris, 1987, p. 144.

peu son caractère rigoureux et austère pour se transformer en plaisir. Cela me rappelle les exercices de la petite école où il fallait apprendre à tracer chaque lettre de l'alphabet, une à une. Un jour, j'ai enfin réussi à écrire un mot complet. Quelle joie de retranscrire ces signes bizarres qui tout à coup signifient quelque chose ! Cette même joie, vous l'éprouverez lorsque, en notant les scénarios de la nuit, vous allez enfin comprendre le sens qui s'en dégage.

La compilation et l'étude de mes rêves sur une base régulière aboutissent à de grands bénéfices pour ma croissance personnelle. Ces moments où je m'assois confortablement dans mon lit pour noter mes aventures nocturnes sont devenus des instants d'intimité où ma conscience éveillée communique avec les autres parties de ma personnalité. Les multiples facettes de ma vie intérieure se dévoilent au rythme de mon évolution personnelle. La Nicole objective prend conscience des besoins de toutes les Nicole subjectives qui réclament une attention particulière. Avec cette discipline initiale, je récolte enfin les merveilleux bienfaits de l'effort soutenu.

Plus les pages se remplissent de scénarios oniriques, plus la clarté jaillit, car je décode peu à peu le langage inconnu de l'imagerie intérieure. Des thèmes reviennent régulièrement comme la **communication**, symbolisée par le **téléphone**. Si dans mon rêve j'essaie de joindre une personne et que je ne réussis pas à cause de différents obstacles, tels un appareil défectueux ou l'incapacité à composer correctement le numéro, je réalise par la suite que dans ma vie éveillée il y a généralement un problème de communication avec cette personne. L'appel non acheminé signifie le contact non établi. Pour y remédier, je m'assure auprès de l'autre qu'elle comprend et reçoit bien ce que je lui transmets.

Un autre symbole personnel déterminé grâce à la compilation de mes rêves est celui des valises. Ces valises, toujours trop volumineuses, remplies de vêtements et d'objets, ont régulièrement hanté mes nuits. Tantôt je manque l'avion parce que mes valises sont trop longues à préparer; tantôt je les perds à l'aéroport... Je panique et me réveille avec un sentiment déplaisant. Puis, un jour, je fais le lien entre les valises chargées et certains **attachements** qui alourdissent mon voyage dans la vie. Après cette prise de conscience, je vois peu à peu mes valises diminuer de volume dans mes rêves jusqu'au jour où j'arrive dans une ville étrangère... sans bagages. Pour la première fois, je me sens à l'aise dans cette situation. Au lieu d'avoir peur de manquer de quelque chose, je ressens la joie d'avoir à me procurer ce dont j'ai besoin dans l'immédiat pour poursuivre mon voyage. La joie et la liberté ont remplacé la panique. Par la suite, le symbole des valises disparaît de mes scénarios nocturnes.

L'ÉCOUTE INTÉRIEURE

Être à l'écoute des émotions et des sentiments intérieurs est essentiel à la compréhension de nos mondes cachés. Ces émotions qu'on nous a appris à taire et à dissimuler, il faut maintenant s'y arrêter et les préciser pour accéder à une analyse efficace du rêve.

À la fin de chaque rêve, notez le ou les sentiments éprouvés. Cette démarche demande une attention véritable pour sentir ce qui se passe à l'intérieur. Au début, cela exige un effort d'intériorisation puis, après un certain temps, en fonction de votre facilité à reconnaître ces sensations, l'exercice se fait presque instinctivement.

Pour bien préciser l'émotion, demandez-vous : « Comment est-ce que je me sentais au moment où... » et résumez-le en quelques mots. Étiez-vous bien, mal, inquiet, tracassé, surpris, déçu, heureux, angoissé, en harmonie, frustré, soulagé ?... En général, un sentiment négatif à la fin d'un rêve dénote que quelque chose ne va pas et qu'il faut y remédier. Au contraire, un sentiment positif révèle un déroulement harmonieux, une guérison ou un bon présage.

Lorsque vous déterminez l'émotion, vous avez déjà commencé à vous approprier une partie de votre rêve. Vous entrez en résonance avec la sensation et le contexte de la scène vécue. Cela est d'autant plus significatif lorsque le même rêve revient périodiquement. Observez alors vos changements émotifs et notez-les. Ces modifications illustrent votre transformation intérieure et vos progrès. Votre peur diminue-t-elle ? Votre rage s'estompe-t-elle ? Vos frustrations deviennent-elles de simples contrariétés ? La colère fait-elle place à la tolérance ? Est-ce que la haine se transforme peu à peu en détachement, en amitié ou même en amour ?

Vos émotions sont votre baromètre intérieur. Pareil à un scientifique affairé à analyser les résultats de ses expériences, vous avez tout intérêt à les observer de près et à suivre leur évolution. Elles sont les précieux indicateurs de vos changements intérieurs, qui favoriseront par la suite les transformations extérieures.

LES ASSOCIATIONS

Pour faire un pas de plus dans l'analyse et la compréhension, vous pouvez décoder le langage des symboles au moyen de la libre association. Cette démarche est plus lente que la seule intuition, qui trouve immédiatement et globalement la source et la cause du rêve.

Les associations se font en reliant chaque image du rêve à une association spontanée ou recherchée. Vous pouvez pratiquer cette technique seul, par écrit ou avec une autre personne qui prend des notes. Vous mentionnez ce que les images rêvées vous inspirent. Puis, vous examinez ces nouvelles données qui vous éclairent sur la signification du rêve.

Le rêve de Liette :

> Titre : Enfin de l'air
>
> « Je suis à bord d'un bateau qui voyage sur une mer agitée. Soudain, je décide de sauter à l'eau et de me laisser couler au fond. Je descends dans les profondeurs de l'océan et, au moment de toucher le fond, je me donne un élan prodigieux afin de remonter à la surface. En sortant de l'eau, je prends une grande bouffée d'air qui me vivifie. Le sentiment : soulagement. »

La méthode associative a donné ceci :

Un bateau :	lui fait penser à l'expression *dans quel bateau me suis-je embarquée* et représente ses difficultés matrimoniales
sauter :	agir
couler au fond :	s'abandonner
élan prodigieux :	aide surnaturelle
grande bouffée d'air :	la vie revenue.

D'abord, elle doit renoncer à subir tous ses problèmes du moment (le bateau) et agir (sauter), puis s'abandonner (couler au fond). Elle reçoit ainsi une aide inattendue qui lui redonne le goût de vivre. Son rêve lui offre la possibilité d'entrevoir un espoir et la méthode des associations lui a permis d'en prendre conscience.

La technique des associations est très utilisée par la psychanalyse car elle permet de dévoiler des zones secrètes en apparence inaccessibles. Le thérapeute réussit ainsi à toucher une cible chargée d'énergie qui dévoile un complexe, un refoulement ou un souvenir ancien.

LA MÉTHODE ANALYTIQUE

Cette approche sollicite exclusivement, ou presque, la pensée logique et demande un travail plus élaboré. Cette méthode est un plaisir pour l'intellect, qui adore décomposer, comparer et rationaliser.

Deux techniques vous sont proposées : le **déroulement** compare le rêve à une pièce de théâtre ; la **grille d'analyse** permet de décomposer le rêve.

La psychologie moderne découpe la majorité des rêves en quatre étapes : d'abord, le **décor** ou la spécification des lieux ; l'**intrigue** ou le conflit ; le **point culminant** ou la progression vers l'apogée ; et finalement la **solution**.

Ces quatre thèmes constituent l'histoire. Comme au théâtre, la dernière scène annonce la fin heureuse ou malheureuse. Bien sûr, nous préférons les fins qui se terminent bien. En bon metteur en scène qui veut plaire à son public, nous pouvons nous aussi modifier le rôle des acteurs en changeant le scénario de base, celui du quotidien, comme un élément de notre vie éveillée. La nuit suivante, la pièce sera jouée différemment et pourra ainsi refléter l'harmonie rétablie ou le conflit non résolu, si les ajustements étaient insuffisants.

Indépendamment des symboles utilisés pour décrire le déroulement, les sentiments ne sont pas masqués afin de rendre le message accessible. Soyez donc à l'affût de ces indices précieux qui vous permettent d'en tirer profit dans votre vie éveillée.

L'un de mes rêves vous permettra de détecter ces quatre éléments :

> « Je suis en voiture avec une amie. Nous roulons sur une route montagneuse. La petite voiture que je conduis a de la difficulté à gravir les côtes. Les autres voitures nous dépassent aisément. Finalement, je réalise que nous n'arriverons pas à destination. »

Au réveil, la sensation de difficulté est très forte et accompagnée d'un sentiment d'incapacité.

Le **décor :**	sur la route
L'**exposition :**	trajet à parcourir
Le **point culminant :**	côte difficile à gravir
La **solution :**	impossible de se rendre à destination.

En examinant ma relation avec l'amie du rêve et en tenant compte des difficultés évidentes démontrées dans mon rêve, j'ai tout simplement remis à plus tard la démarche entreprise en commun avec cette personne, puisque le rêve présageait une incapacité à me rendre à destination pour l'instant.

LA GRILLE D'ANALYSE

Un autre moyen pour faciliter l'interprétation du rêve est d'utiliser une grille d'analyse. En décomposant le rêve en plusieurs éléments, il est parfois plus facile de déceler un ensemble de données révélatrices.

À l'image du détective qui essaie de reconstituer les faits et gestes des personnes soupçonnées, vous pouvez vous transformer en enquêteur qui recherche l'indice révélateur de la solution dans l'énigme.

Qui a fait quoi? Où et comment? Quelle a été l'émotion ressentie devant l'action? Autant de questions qui engendrent de précieuses pistes. Le seul fait de décomposer le scénario en plusieurs parties suffit parfois à saisir le lien entre les éléments trop souvent discordants en apparence. La grille peut mettre en évidence un petit détail qui vous a échappé dans le fouillis des images nocturnes.

Dans les ateliers que j'anime, je propose la grille suivante :

Grille d'analyse			
Personnage	Action	Lieu	Sentiment

Objets :
Couleurs :
Nombre :
Atmosphère :
Titre :
Sentiment :
ANALYSE :

LA MÉTHODE INTUITIVE

Cette méthode s'adresse davantage à ceux et celles qui ont développé une confiance en leur intuition. Cette technique est très bénéfique pour les personnes qui ont des rêves longs, aux scénarios compliqués et aux images surabondantes. L'approche mentale les embourbe davantage et elles n'en finissent plus d'analyser. Pour court-circuiter cet enlisement mental, la méthode intuitive exclut l'aide du cerveau gauche déjà trop envahissant et sollicite plutôt les aptitudes du cerveau droit.

Je fais référence à la petite voix intérieure qui chuchote doucement, sans faire de bruit. Elle est directement reliée à l'âme, votre partie divine qui sait tout. Pour l'entendre, sachez qu'elle existe et placez-vous dans une attitude d'écoute attentive.

Les jeunes enfants l'entendent clairement, mais en grandissant, l'écoute s'extériorise et l'intellect s'exprime avec plus de force. La raison et la logique prennent alors le haut du pavé. Lorsque vient le temps de dialoguer avec vos rêves, cette même logique ne sert plus à rien car elle s'exprime dans un langage totalement différent. La communication est rompue et les rêves deviennent confus, indéchiffrables et inaccessibles.

Vous remettre au diapason de l'intuition, voilà le premier secret que vous devez apprivoiser pour analyser vos rêves. Ce n'est pas toujours facile, surtout en période de conflits. Il existe tout de même des techniques qui permettent de rétablir temporairement l'harmonie nécessaire pour écouter les révélations de votre rêve. La relaxation, la méditation ou la contemplation en sont des exemples. L'utilisation d'un *mantra* (mot chargé en vibrations positives) peut aussi favoriser grandement l'écoute intérieure car il stimule la partie du cerveau en relation avec l'intuition : l'hémisphère droit.

Si vous n'en connaissez aucun, vous pouvez expérimenter le son *HU* (se prononce «*HIOU*»). Ce mot sacré existe déjà dans les sons de la nature (le vent, le chant des oiseaux ou le bruit des vagues), de même que dans certains chants religieux.

La pratique du son *HU* a le pouvoir d'élever les vibrations de la personne qui le chante avec un cœur ouvert. Asseyez-vous confortablement, le dos bien droit et les yeux fermés. Placez doucement votre attention sur un point entre les sourcils appelé troisième œil, situé à la racine du nez. Après quelques respirations pour vous détendre, prenez une profonde inspiration puis prononcez en expirant le son *hiou-ou-ou-ou...* en une seule syllabe et en étirant doucement cette sonorité. Vous le chantez de 5 à 20 minutes environ. Vous pouvez aussi varier le tempo en insérant des respirations entre les chants du *HU*. J'aime beaucoup la formule suivante : 5 respirations suivies de 3 *HU*, puis 5 respirations et 3 *HU* et enfin 5 respirations et 3 *HU*. Au troisième cycle, mon intellect lâche prise enfin et l'intuition reprend le dessus sur la pensée analytique.

L'écoute intérieure étant ainsi favorisée, il devient plus facile de capter l'élément ou les éléments du rêve qui déclenchent votre compréhension de son message. Intuitivement, vous savez, même si parfois vous ne pouvez mettre en mots la compréhension obtenue. Souvent, les circonstances extérieures de votre vie viendront confirmer cette précieuse réalisation.

Ne pas comprendre pourquoi je vis une expérience difficile ou un moment confus est l'une des pires contrariétés que je puisse expérimenter. À l'opposé, connaître la raison de mes malheurs m'apporte la patience nécessaire pour trouver les solutions qui rétabliront l'harmonie intérieure perdue. C'est pourquoi j'attache beaucoup d'importance aux moyens qui me permettent de désigner les causes derrière les effets. Et l'étude de mes rêves constitue une méthode idéale.

Afin de faciliter l'analyse du rêve, voici quelques explications supplémentaires sur deux éléments importants des scénarios oniriques. Ce sont les personnages et les lieux.

LES PERSONNAGES

Ce thème a déjà été abordé, mais il est important d'y revenir. En croyant que les personnages du rêve sont réellement les personnes, décédées ou vivantes, connues à l'état d'éveil, nous passons souvent à côté d'une information précieuse. En effet, dans un rêve symbolique, les personnages représentent souvent des facettes de notre personnalité, nos côtés forts ou faibles.

Il faut donc faire le lien avec votre vécu actuel et déplacer le comportement du personnage sur vous-même. Dans un récent rêve, je vois arriver une de mes sœurs, la plus timide, dans une superbe limousine blanche. Elle en sort vêtue d'une magnifique robe de soirée et marche comme une vedette de cinéma. J'ai noté les sentiments suivants : étonnement et éblouissement.

À l'analyse, je me suis demandé : Y a-t-il des possibilités que ce rêve soit télépathique ou même prophétique ? Il m'a semblé que non. Alors, j'ai associé l'image de la sœur gênée à mon côté encore timide et j'ai réalisé qu'un changement s'opérait dans ma personnalité. Cette timidité récalcitrante s'est transformée en une plus grande assurance (magnifique robe, limousine blanche) et je me suis laissé éblouir par cette métamorphose qui m'a libérée d'une vieille limite.

Dans le rêve suivant, une jeune femme découvre une ancienne compagne de collège pendue dans sa salle de bains. Elle s'éveille en sursaut, horrifiée par cette scène tragique. Ce rêve lui cause une grande crainte et elle s'inquiète pour cette personne qu'elle ne fréquente plus depuis plusieurs années.

En recherchant la nature symbolique du rêve, elle a relié le trait de caractère dominant du personnage pendu et un changement récent dans son comportement. Cette ancienne camarade a toujours eu la mauvaise habitude de parler constamment contre les gens de son entourage. Ainsi, le rêve confirme que la rêveuse vient de se débarrasser de son propre côté mauvaise langue. Le fort sentiment d'horreur lui a permis de se souvenir du rêve afin de prendre conscience du changement intérieur.

LES LIEUX

Dans la construction du rêve, le lieu sert à spécifier plusieurs données, selon les besoins. Il peut vous ramener à une époque passée et ainsi vous situer dans le temps. Êtes-vous dans la maison de votre enfance, dans la ville de vos études secondaires, dans votre lieu de travail actuel ? Ainsi, l'**époque** du déroulement permet de déceler l'origine du problème.

Le lieu peut aussi représenter un espace à l'intérieur de vous : votre **comportement social**, si vous êtes dans un endroit public ou dans votre salon ; votre **vie intime**, si le rêve se passe dans votre salle de bains ou dans votre chambre à coucher. Il peut encore symboliser votre **besoin de nourriture**, spirituelle ou autre, s'il se situe dans la cuisine ou un restaurant.

Le lieu peut aussi agir en tant que **symbole archétypal** comme la **grotte** qui fait appel à des souvenirs très lointains provenant de votre subconscient. Il y a aussi les lieux de type religieux, comme les **églises**, les **temples** ou les **mosquées**, qui font référence à des aspects spirituels.

Comme les autres éléments du rêve, le lieu s'interprète dans le contexte global du rêve et le vécu quotidien. Si vous rêvez d'un château, il est important de savoir si vous avez vu un film avec des scènes de château, si une personne vous a parlé d'un voyage avec des visites de châteaux ou si vous avez des projets irréalistes qui ressemblent à des châteaux de sable.

CONCLUSION

L'analyse du rêve pourrait faire l'objet d'une encyclopédie complète. Le meilleur interprète d'un rêve demeure la personne qui l'a fait. Elle connaît tous les facteurs probables pouvant susciter le rêve en question. Une autre personne peut lui suggérer des pistes d'analyse ou lui faire prendre conscience de certaines dominantes, mais seul le rêveur peut valider une interprétation correspondant à ses réalisations personnelles.

Donnez-vous le **temps** de pratiquer, soyez fidèle à votre **journal de rêves**, gardez une **écoute attentive** et faites-vous **confiance**. Le temps et la **discipline** sont vos meilleurs alliés.

Fiez-vous à votre **intuition** et n'oubliez jamais que l'**âme** sait et ne demande pas mieux que de vous transmettre toutes ses connaissances par l'intermédiaire de sa grande messagère, la petite voix intérieure.

Rappelez-vous aussi qu'il n'est pas nécessaire d'analyser tous les rêves. Certains ne représentent qu'un déversement de résidus subconscients et le seul fait de les écrire permet un nettoyage bénéfique de l'inconscient parfois trop plein. C'est d'ailleurs un phénomène fréquent qui découle de l'intérêt nouveau porté à vos rêves. Cette curiosité soudaine pour le langage de la nuit provoque un flot abondant d'images et d'informations en provenance du subconscient qui s'exprime enfin ouvertement. Prendre note de ce foisonnement onirique dégage peu à peu le surplus accumulé.

De plus, si un message important n'a pas été saisi, il reviendra en force frapper à la porte de votre conscience. Cette manifestation donne lieu aux **rêves récurrents**, ceux qui reviennent sans cesse. Ces rêves répétitifs signalent une information non comprise et méritent une considération spéciale. Et tant que le message n'a pas été saisi, le rêve réapparaît, pour le bénéfice du rêveur.

8

L'induction du rêve

Prenez le temps de choisir votre destination et de bien fixer vos buts. Ils seront le moteur de vos actions et vous donneront du vent dans les voiles.

Nous en sommes maintenant à l'aspect technique et fonctionnel de l'art de rêver. Comme il a été mentionné, tout le monde rêve et chacun possède le potentiel de développer l'art de rêver.

Ce chapitre se veut un résumé de mon expérience personnelle, basée sur plusieurs années d'expérimentation et sur de nombreuses lectures et études concernant l'aspect spirituel des rêves.

Si cette méthode fonctionne très bien pour moi, en sera-t-il ainsi pour vous ? Pourquoi pas ? Vous pouvez modifier certains paramètres généraux pour les adapter à vos goûts et désirs. Chacun diffère dans sa façon de penser, d'agir et d'être ; il est donc primordial d'établir vos propres besoins et de choisir par la suite les outils qui vous conviennent.

LE DÉPART

Où voulez-vous aller ? Il faut trouver la réponse et prendre les moyens appropriés pour arriver à bon port. Sinon, c'est comme si vous étiez prêt à partir en voyage sans vous décider sur la destination. Vous risquez de demeurer longtemps sur place, du moins tant que vous n'aurez pas fait votre choix.

Première étape, établissez le point de départ : quel type de rêveur êtes-vous ?

— L'**inconscient** qui ne sait pas qu'il rêve chaque nuit ?

— Le **déçu** qui ne parvient pas à se remémorer ses rêves ?

— Le **passif** qui observe ses rêves sans réagir ?

— L'**épuisé** qui s'écroule devant l'abondance d'images oniriques ?

— L'**ordinateur** qui fonctionne trop mécaniquement, sans laisser de place à la fantaisie ?

— L'**aventureux** qui vit des péripéties extraordinaires ?

— Le **curieux** à la recherche de réponses ?

— L'**inquiet** qui rumine ses problèmes la nuit ?

— L'**occasionnel** qui capte très peu de scénarios nocturnes ?

— L'**incrédule** rejetant tout ce qui concerne la vie onirique ?

— Le **sceptique** qui doute d'une quelconque utilité des rêves ?

— L'**agité** qui s'inquiète des images troublantes ?

— Le **mystique** qui se sent en contact avec les forces cosmiques ?

— L'**intéressé** qui pense pouvoir faire quelque chose de ses nuits ?

Il existe quantité d'autres qualificatifs pour vous définir. Laissez aller votre imagination et ajoutez-en même plusieurs s'ils vous conviennent. Au début de ma démarche, j'étais à la fois une rêveuse curieuse, passive et intéressée. Je suis devenue une rêveuse active.

LA DESTINATION

Quels sont vos objectifs ? Demandez-vous pourquoi vous avez ce volume entre les mains et ce qui vous pousse à poursuivre sa lecture :

— En connaître un peu plus sur les rêves ?

— Vous rappeler davantage vos rêves ?

— Démystifier ce monde inconnu ?

— Comprendre vos rêves et pouvoir les analyser?

— Investir dans vos nuits afin d'améliorer votre vie éveillée?

— Apprendre des techniques pour expérimenter les aspects actifs du rêve?

Il est très important de déterminer vos buts pour créer la motivation nécessaire à la réussite de votre démarche. Si je veux aller à Paris, je vais consulter un agent de voyages pour recevoir la documentation nécessaire afin de confirmer mon choix et de m'assurer que cet endroit correspond à mes intérêts. Puis, je vais me procurer un billet d'avion et acheter des euros. Je vais peut-être réserver une chambre d'hôtel pour la première nuit. Une carte de la ville et des environs serait un atout. Connaissant mon objectif, celui de visiter la capitale française, je suis motivée à bien me préparer afin de jouir le plus possible de ce voyage.

Prenez le temps de choisir votre destination et de bien fixer vos buts. Ils seront le moteur de vos actions et vous donneront du vent dans les voiles.

L'étape de l'identification du départ et de l'arrivée étant franchie, passons à des techniques pratiques.

L'INDUCTION

La première technique consiste à **induire**: donner à vos rêves une **orientation** à court ou à moyen terme. Induire veut dire «amener à une action»; c'est un atout majeur dans la réalisation des étapes à partir du départ jusqu'à l'arrivée.

L'induction du rêve vous permet de décider ce à quoi vous voulez rêver. C'est une forme de programmation douce du subconscient. Douce car elle ne demande aucun effort de volonté. C'est plutôt une invitation adressée au subconscient pour obtenir sa coopération, puisque son rôle est de **réagir** aux ordres qui lui sont donnés correctement. Il est sous votre gouverne. C'est un instrument au service de l'âme dont la fonction est d'**agir**. La réaction est au subconscient ce que l'action est à l'âme.

À quoi ressemble un ordre donné correctement ? À une phrase affirmative, simple et concise. Elle doit être au présent et s'énoncer sans ambiguïté.

Voici un exemple qui fonctionne merveilleusement bien : « Cette nuit, **je vais** me souvenir de mes rêves. » La formule magique est : **« JE VAIS »**.

Si vous dites : « Je pourrais peut-être... », vous laissez un doute. Ou si vous pensez : « J'aimerais bien... », une incertitude plane encore. **Soyez affirmatif !** C'est la clé du succès dans l'induction du rêve désiré.

Si vous craignez d'interférer avec le déroulement habituel de vos rêves en induisant une action précise, rassurez-vous, votre subconscient connaît ses priorités. Les rêves compensateurs se manifesteront en premier afin de rétablir l'équilibre émotionnel. Puis, les rêves informatifs auront leur temps d'antenne. Pour un cycle de 8 heures de sommeil, la période totale de rêves est de 1 h 30 à 2 heures. Il reste donc suffisamment de temps pour le rêve induit.

Voyons comment appliquer l'induction à court terme avec les postulats quotidiens ; puis, à moyen terme, avec les thèmes mensuels.

POSTULATS QUOTIDIENS

Un postulat est une affirmation qui n'admet aucun doute. Vous affirmez une action à accomplir comme : « Cette nuit, je vais connaître les raisons de mon échec », ou bien : « Dans mes rêves, je vais aller voir si ce changement d'emploi me convient. »

La technique s'adapte selon votre dominance visuelle ou auditive. Il est préférable pour la personne visuelle d'écrire le postulat dans son journal de rêves. La mémoire visuelle le capte instantanément. Pour les auditifs, prononcez votre postulat à voix haute ou dites-le à une autre personne.

Cependant, le fait de l'écrire en toutes lettres permet de solliciter plus directement le cerveau droit, qui fonctionne avec la mémoire visuelle. Cette méthode augmente vos chances de réussite et la demande se cristallise davantage dans votre conscience. De plus, un mélange subtil de détachement, de certitude et de gratitude se greffera à cette démarche. Analysons brièvement l'attitude idéale :

Le **détachement** : vous savez que l'action demandée par le postulat se réalisera seulement si ce dernier concerne votre bien et le bien des autres ; en d'autres mots, il doit viser le bien du tout. En étant détaché, vous laissez l'Esprit ou la force universelle travailler en harmonie avec l'ensemble, vous et les autres.

La **certitude** élimine toute trace de doute et de peur. Vous avez la conviction que le postulat va se concrétiser au moment opportun. En étant certain de sa réalisation, vous êtes décontracté et davantage réceptif aux bénéfices à recevoir.

La **gratitude** est la reconnaissance que vous éprouvez avant même d'obtenir les résultats escomptés. La gratitude ouvre le cœur et maintient l'équilibre intérieur. En remerciant à l'avance, vous permettez au flot continu des bienfaits de l'Univers de se déverser dans votre conscience.

Mes nombreux cahiers de rêves sont remplis de postulats qui témoignent de ma détermination à atteindre les objectifs que je me suis fixés.

Au début, cependant, un certain scepticisme m'habitait. La première fois que j'ai entendu parler de la possibilité de diriger mes rêves en me donnant tout simplement l'ordre de faire telle ou telle action, j'ai été à la fois fascinée et sceptique. C'était presque trop beau pour être vrai. Ma curiosité piquée au vif, je décide de tenter l'expérience. Pendant une période d'un mois, j'inscris chaque soir un postulat différent selon les priorités du moment. Au matin, je note les rêves dont je me souviens sans faire attention à la demande de la veille.

La période d'essai terminée, j'entreprends de relire le contenu des rêves et de le comparer avec le souhait formulé quotidiennement. Ô surprise! la méthode fonctionne à merveille! Quatre fois sur cinq, un ou plusieurs rêves de la même nuit sont en relation directe avec la demande écrite. Je débute alors un nouveau cycle où les nuits deviennent aussi importantes que les journées.

Le type de postulat peut varier selon vos besoins et vos exigences. À un niveau concret, vous pouvez retrouver un objet perdu. Motivé par une préoccupation d'ordre émotif, vous pouvez demander si telle relation amoureuse est bonne pour vous. Dans le domaine spirituel, vous pouvez aller étudier avec un guide.

À l'époque où j'apprenais en cours du soir les langues étrangères, j'ai fait régulièrement le postulat d'utiliser la langue en question dans mes rêves. Par exemple, j'ai inscrit dans mon journal la demande suivante : «Cette nuit, je vais visiter un lieu spirituel de régénération où les hôtes parlent allemand», ou celle-ci : «Cette nuit, je vais rencontrer des gens de langue espagnole tout en pratiquant tel sport.» Pourquoi ne pas joindre l'utile à l'agréable?

Le rêve est votre laboratoire personnel mis à votre disposition 12 mois par année. Vous en possédez les clés secrètes; il ne tient qu'à vous d'ouvrir toutes grandes les portes de l'expérimentation. Et si vous craignez de vous fatiguer en décidant de faire telle ou telle démarche durant la période onirique, sachez que vous allez rêver de toute façon. Aussi, bien utiliser ce temps précieux pour accomplir une action profitable.

Si vous appréhendez de nuire aux besoins de votre subconscient, en charge de votre équilibre psychique, soyez assuré qu'un mécanisme automatique d'autorégulation fait intervenir les rêves compensateurs en premier. Mais on ne compense pas toute la nuit, la portion inutilisée peut servir à des fins plus utiles.

Plus nous sommes conscients des frustrations et des désirs qui surgissent le jour, moins nous aurons à équilibrer les manques non assumés durant la nuit. Il est ainsi possible de diminuer la quantité de rêves compensateurs et de passer à des rêves d'ordre plus élevant et intéressant.

Votre expérience personnelle sera le meilleur élément de persuasion. Donnez-vous le temps et la chance de vérifier la valeur inestimable des postulats pour améliorer la qualité de vos rêves. Inévitablement, vos journées en bénéficieront aussi. C'est un cercle vicieux que j'appellerais un «cercle précieux». Vos nuits influencent vos journées et vos journées influencent vos nuits.

THÈMES MENSUELS

L'induction à moyen terme se fait par le choix de thèmes mensuels. Contrairement au **postulat quotidien**, qui suggère une action précise à accomplir en rêve dans un délai assez court, le **thème mensuel** propose une orientation spécifique de l'ensemble des rêves qui se dérouleront durant le mois à venir.

Pourquoi la durée d'un mois ? Parce que cette période donne suffisamment de temps pour explorer le thème choisi et qu'elle correspond à un cycle naturel.

Par exemple, si j'ai le désir de travailler sur mes peurs, j'aurai avantage à sélectionner le thème du courage pour un certain temps. Ainsi, mon cerveau droit, par ses fonctions de créateur, construira des scénarios nocturnes favorisant des expériences de bravoure et d'audace afin d'augmenter mon courage. J'aurai inévitablement à faire face à mes peurs et, du même coup, je pourrai les vaincre grâce au thème retenu. Le plus fascinant est que même les expériences diurnes se synchronisent avec celles de la nuit pour consolider les bienfaits du thème désigné.

Vous avez sûrement remarqué que, pour travailler sur un point faible ou négatif, il est essentiel de porter son attention sur l'aspect contraire ou positif. À partir de ce principe, on choisit par exemple la force pour atténuer la paresse, la patience pour contrecarrer la colère, la douceur pour diminuer la brutalité. L'accent est porté sur la qualité à cultiver et non sur le défaut à corriger.

Le choix du thème mensuel est fonction de vos priorités présentes. Si vous débutez une nouvelle relation amoureuse, des thèmes comme l'**amour**, le **partage**, la **communication** seront appropriés à votre expérience. Si vous vivez un deuil récent très douloureux, vous pouvez travailler sur le **détachement,** la **guérison** de votre souffrance ou la **communication intérieure** avec la personne décédée.

Par contre, si vous faites face à un grand changement, un nouvel emploi qui vous demande beaucoup d'adaptation par exemple, des thèmes comme la **souplesse** et la **flexibilité** seront un atout de plus.

Dans un autre domaine, pour améliorer la santé ou la condition physique, optez pour la **discipline** ou l'**action**. Cela vous permettra d'adopter plus aisément la conduite qui favorisera votre bien-être à la fois extérieur et intérieur.

À une certaine époque, pour corriger le défaut de l'orgueil, j'ai choisi comme thème l'**humilité**. J'ai été confrontée à des scénarios oniriques où ma modestie était mise à rude épreuve. Je vivais des situations où je faisais des erreurs monumentales, des gaffes qui suscitaient les rires des gens, des situations embêtantes, etc. Quel mois ! Mais en bout de ligne, l'orgueil trop envahissant a fait place à davantage de modestie. Et je préfère travailler mes défauts en rêve qu'à l'état d'éveil, fierté oblige ! Décidément, l'orgueil me poursuit encore.

Pour rendre le travail sur soi plus agréable et moins confrontant, alternez entre un thème facile et plaisant et un thème difficile demandant plus d'effort. Un mois, vous pouvez choisir la **joie** avec ses agréables facettes ; le suivant, la **patience** avec ses tests d'endurance. Ensuite, la **gratitude** qui apporte son lot de cadeaux ; puis, le **pardon** qui demande beaucoup d'oubli de soi. La liste des thèmes est illimitée. Vos expériences quotidiennes et vos objectifs personnels en seront les instigateurs.

Tantôt de nature pratique comme la **confiance en soi**, tantôt de nature spirituelle comme la **sagesse**, vos thèmes s'inspirent de vos besoins et de vos priorités. Ils sont votre élan intérieur pour atteindre plus facilement et plus directement les objectifs visés. Ils vous assistent dans votre croissance personnelle et, alors que tout va si vite, ils vous permettent de gagner un temps précieux. La nuit devient alors un moment privilégié pour investir dans votre potentiel illimité d'épanouissement physique, émotionnel, mental et spirituel*.

---

* Une liste de thèmes mensuels est décrite à la page 218.

Ces 90 minutes (environ) disponibles chaque nuit vous offrent une période quotidienne d'expérimentations où les plus pures fantaisies peuvent se manifester. Le rideau se lève sur le théâtre de vos univers intérieurs : vos personnages oniriques miment vos joies, vos peines, vos espoirs et vos attentes. Ils parlent de la personne la plus importante au monde : vous-même. Écoutez-les, regardez-les, ils vous enseignent inlassablement chaque nuit.

Les techniques de l'art de rêver peuvent apporter quantité de réponses concernant vos préoccupations quotidiennes. Elles peuvent aussi vous permettre de faire face à une réalité moins agréable : les cauchemars. Pour certains, ils sont rares, mais pour d'autres, ils sont presque omniprésents. Voyons en quoi l'induction peut être utile.

LES CAUCHEMARS

Vous n'êtes pas obligé de subir indéfiniment les rêves pénibles dans lesquels le sentiment dominant de peur ou d'angoisse assombrit vos nuits. Des causes précèdent ces manifestations et vous pouvez agir sur elles.

Je cite Olivier Clerc*:

Le simple fait qu'une majorité d'adultes ne connaissent pour ainsi dire aucune évolution dans leurs rêves, et ainsi continuent d'avoir des cauchemars jusqu'à leur mort, prouve à lui seul le retardement de la pensée occidentale en matière d'onirisme. Nous

---

* Clerc, Olivier, *Vivre ses rêves*, Éditions Guy Saint-Jean HELIOS, Laval, 1986, p. 67.

négligeons toute une partie de nous-même, cette partie irrationnelle et intuitive qu'est le cerveau droit, et le cauchemar est une des manifestations de cette négligence. Le cauchemar exprime violemment l'existence d'un **conflit** *ou d'une* **angoisse** *majeurs en nous-même, et tant que ce conflit sera ignoré et que rien ne sera fait pour y remédier, le cauchemar reviendra, soit sous la même forme, soit sous une autre tout aussi effrayante. Or, il existe diverses techniques qui permettent de découvrir l'origine de ce ou de ces cauchemars et d'y remédier. Le rêve programmé en est une particulièrement efficace, puisqu'on attaque le mal pendant sa manifestation. Ce qui compte avant tout ici, c'est l'action. La compréhension vient après, si on le désire.*

À titre d'exemple, cet auteur explique qu'il a longtemps été hanté par des cauchemars où il est poursuivi et attaqué par un chien aboyant très fort. Chaque fois, il se réveille en sueur, au moment où il va être mordu. Après avoir pris conscience des techniques d'induction, il a été capable de ne plus fuir devant le chien mais, au contraire, de se retourner et de le tuer. Au réveil, il a ressenti un soulagement profond. Non seulement ses cauchemars ont cessé, mais sa peur réelle des chiens s'est atténuée considérablement. Plus tard, il a cherché à savoir d'où provenait sa peur et il a découvert que le chien aboyant représentait son père.

Ces techniques d'induction proviennent, entre autres, des observations faites sur le peuple sénois, habitant la Malaisie. Elles consistent à faire face à la menace du rêve. Qu'il s'agisse d'un animal féroce, d'un agresseur violent ou d'un monstre affreux, le rêveur doit éviter de fuir ou de se réveiller. Il doit plutôt se retourner vers l'adversaire et choisir la méthode adéquate pour le vaincre. Il peut tuer l'animal menaçant, immobiliser le poursuivant, combattre le monstre ou même changer sa peur en amour.

Au fil des années, j'ai observé mes réactions devant les rêves d'agression. J'ai constaté une certaine évolution. Au début, c'est la fuite par le réveil qui me laisse dans un état d'inconfort et de malaise, car le problème n'est pas réglé pour autant. Puis, graduellement, j'utilise la douceur comme moyen de défense. J'apprivoise mon agresseur en lui parlant avec tendresse. Je lui dis qu'il agit ainsi parce qu'il a besoin d'affection. Je m'adresse à lui avec beaucoup d'amour et cela le calme. En faisant appel à ma créativité, je lui donne un faux numéro de téléphone afin de m'éloigner de lui. À d'autres moments, j'utilise la séduction et lui offre de devenir son amie de cœur.

Cette technique de secours a évolué vers une autre technique, plus agressive : l'autodéfense. Dans le dernier rêve d'agression dont j'ai noté le scénario, j'assume ma protection de la façon suivante :

> Titre : La chaîne
>
> «Je suis seule dans un hangar presque vide. C'est la nuit. À l'extérieur, une bande de délinquants attendent que je sorte pour m'attaquer. Décidée à ne pas me laisser faire, je regarde de quelle façon je peux me défendre. Sur les murs sont accrochées de longues chaînes. J'en choisis une avec laquelle je m'entoure le corps tout en gardant une des extrémités dans ma main afin de frapper un éventuel agresseur qui s'approcherait. Ainsi protégée, je m'installe dans un coin du hangar afin de veiller jusqu'au matin. Dès que le soleil se lève, le danger est écarté car les jeunes disparaissent avec l'arrivée du jour. Sentiments : assurance, protection, courage.»

Cette dernière technique est apparue durant le mois où j'avais pour thème la confiance en moi. J'ai donc utilisé mon pouvoir personnel pour me protéger, symbolisé par la chaîne entourant mon corps. Au réveil, je me suis sentie confiante et rassurée quant à mes capacités d'affronter les difficultés de la vie.

Les cauchemars deviennent un outil de croissance personnelle dès qu'on les utilise pour passer à l'action et vaincre nos peurs. Ils fournissent une occasion de faire appel à la créativité pour solutionner un problème angoissant ou une attitude néfaste causant des préjudices. Vous avez le choix de **subir** vos cauchemars sans résister ou d'**agir** sur eux en induisant le postulat de prendre en main la situation conflictuelle qui génère ces mauvais rêves.

Une amie qui vivait souvent un type de cauchemars avec ascenseur essaya la technique du son HU pour y remédier. Elle raconte :

> « Depuis plusieurs années, je fais des cauchemars où il y a des ascenseurs dont on n'a jamais le contrôle. Soit qu'ils descendent trop vite, sans jamais s'écraser cependant, soit qu'ils montent en flèche et risquent de passer à travers le toit. Tout cela se passe dans un désordre total. J'ai peur et, dans mon rêve, je me dis : "Ah non, pas encore !" Suite au conseil de prononcer le son HU tout en fixant mon attention sur le troisième œil, un point situé entre les sourcils, il se passe un phénomène nouveau. Instantanément, je quitte l'ascenseur en folie et je me retrouve en dehors de mon corps, transportée au-dessus de la muraille de Chine. Je vole. Par la suite, je n'ai plus jamais eu ce genre de mauvais rêve dans les ascenseurs. »

Pour conclure, je vous suggère de commencer dès maintenant à inscrire dans votre journal un premier thème mensuel, facile et agréable, afin de découvrir la joie de travailler avec vos rêves. Et pour le plaisir d'expérimenter, choisissez chaque soir un postulat désignant une action que vous aimeriez accomplir dans le monde magique des rêves. Amusez-vous d'abord, comme le font si allégrement les enfants devant un nouveau jeu. Plus tard, quand la certitude aura remplacé le scepticisme et les doutes, vous pourrez vous fixer des objectifs à caractère plus sérieux.

En apprenant à contrôler nos rêves, nous découvrirons qu'il existe en nous-même un instrument efficace d'autothérapie, portatif et disponible plusieurs fois chaque nuit[*].

L'induction ne demande que quelques minutes pour être amorcée et elle vous fait gagner un temps incroyable dans l'atteinte de vos buts. C'est l'art de maximiser vos actions dans un minimum de temps.

Cette technique n'est pas nouvelle. On l'appelait autrefois incubation onirique. De nos jours, certains la nomment le rêve programmé. Peu importe l'appellation, souvenez-vous simplement que vous avez le grand privilège de **choisir**, donc d'assumer votre liberté individuelle en dirigeant vos actions dans un sens ou dans l'autre. Et si vous ne faites pas vos choix, les autres les feront à votre place. Vous **agissez** ou vous **subissez**, à vous de choisir !

---

* Garfield, Patricia, *La Créativité onirique*, Éditions de La Table Ronde, Paris, 1983, p. 130.

Troisième partie

LA RÉSULTANTE

COMPRENDRE POUR MIEUX RÊVER

9

Rêves et croissance personnelle

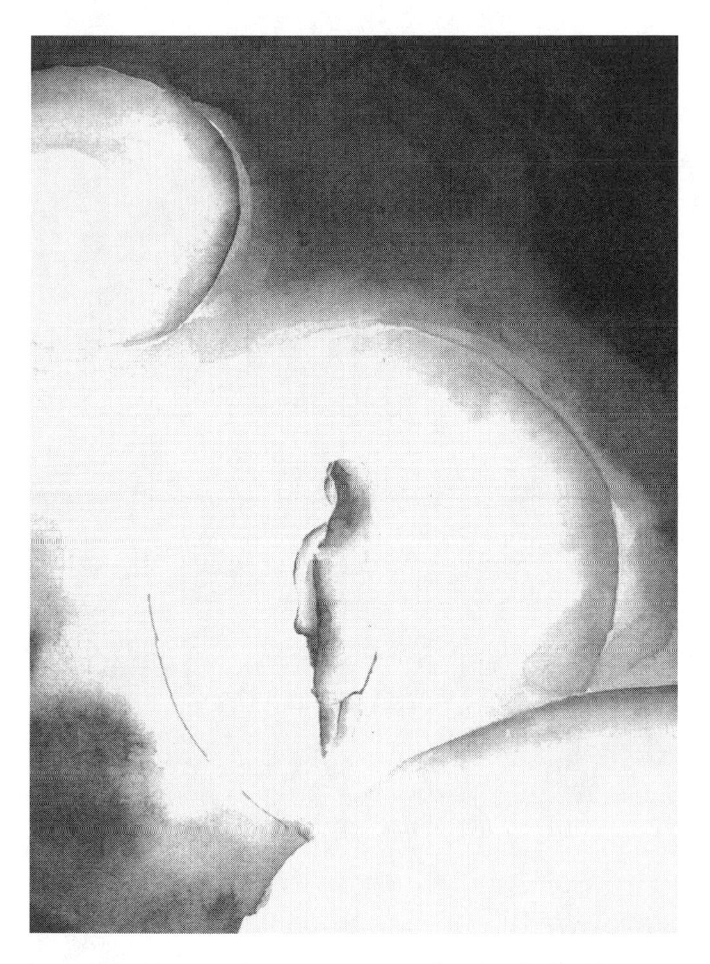

« Ensuite je vois trois immenses boules de lumière s'avancer vers nous. Je n'ai pas peur. Le guide m'invite à entrer dans la première, celle de la liberté... »

Le travail sur les rêves apporte inévitablement des changements et des prises de conscience. Cette ouverture sur les mondes intérieurs donne un aperçu de notre véritable identité : l'être spirituel possédant des qualités divines. L'observation puis la compréhension de nos activités oniriques éveillent des capacités endormies et nous éclairent sur notre potentiel spirituel.

Dans le domaine de l'évolution individuelle, il est souvent question de l'Esprit et de l'âme. L'**Esprit** est cette force universelle qui sustente et pénètre toute forme de vie, du minéral à l'humain en passant par le végétal et l'animal. C'est l'essence divine qui circule dans tous les Univers, du microcosme (le plus petit) au macrocosme (le plus grand) : l'énergie de Dieu inhérente à toute vie.

L'**âme** est la manifestation individuelle de l'Esprit dans chaque individu. Elle est unique à cause de l'ensemble des expériences qui varient d'une personne à l'autre. L'âme possède la qualité d'être **illimitée, invincible** et **immortelle**. Elle détient potentiellement les mêmes attributs que l'Esprit : **amour, sagesse** et **liberté**.

Selon les spiritualistes, le but de l'âme est d'évoluer afin de développer son plein potentiel divin. En travaillant en collaboration avec l'Esprit, elle peut atteindre ses objectifs le plus harmonieusement possible. Mais comment y arriver ? Les groupes de croissance, les différentes religions et les enseignements spirituels existent dans le but de répondre aux besoins individuels de chacun.

Dans ce contexte, les rêves deviennent des outils supplémentaires à toute démarche d'éveil, parce qu'ils permettent une ouverture privilégiée sur vos mondes intérieurs. Ils vous donnent accès à des régions secrètes, des zones cachées de votre être intérieur.

La nuit, le conscient rationnel (cerveau gauche) s'endort avec le corps physique et le conscient intuitif (cerveau droit) se réactive afin d'agir à des degrés de perception plus subtils ou intérieurs.

LES GRANDS RÊVES

Une telle action à des niveaux de conscience plus élevés peut générer ce qu'on appelle les **grands rêves** ou songes. Ce type de rêves vous impressionne tellement que vous sentez un besoin irrésistible de les raconter. Ils vous laissent au réveil un profond sentiment de changement intérieur.

La gamme des émotions qui en découlent varie de l'étonnement à l'extase pure, en passant par la joie, la sérénité et la paix. Peu fréquents, ils sont toutefois d'une grande importance. Ils vous permettent de réaliser votre évolution ; vous êtes relié à une force intérieure de nature divine.

À titre d'exemple, voici un rêve survenu il y a plusieurs années alors que j'amorçais une nouvelle démarche spirituelle avec un enseignement que j'étudie encore aujourd'hui.

> Titre : Les trois boules de lumière
>
> « Je suis dans un endroit inconnu avec un être spirituel. Je le ressens ainsi parce qu'il dégage beaucoup de compassion et d'amour inconditionnel. Il me demande si je sais ce qu'est la liberté. Je lui réponds : "Bien sûr que oui" et je lui explique en termes logiques

ma définition de la liberté. Puis, il me pose la même question sur l'amour et la sagesse. Je lui réponds encore une fois avec mes connaissances intellectuelles. Ensuite, je vois trois immenses boules de lumière s'avancer vers nous. Je n'ai pas peur. Le guide m'invite à entrer dans la première, celle de la liberté. À l'intérieur, je vois et expérimente avec toutes les fibres de mon être ce qu'est la liberté. Je réalise soudain qu'en réalité je n'en possédais qu'un vague concept mental, bien pâle comparé à l'expérience que je vis dans cette enceinte lumineuse. C'est ahurissant, extraordinaire et fabuleux. Je sors de cette première sphère pour entrer dans la seconde, celle de l'amour. Le même phénomène se reproduit. Puis, je continue avec la troisième boule de lumière, celle de la sagesse. Le guide me sourit. »

Mes sentiments au réveil étaient : joie, extase et gratitude. Les mots étaient insuffisants pour exprimer la beauté et la grandeur de cette expérience. Par contre, je savais pertinemment que ce rêve allait influencer mes comportements futurs. J'ai d'abord décidé de demeurer humble devant mes connaissances, souvent très limitées par rapport à la réalité intérieure. Transformée par ce rêve, je me suis sentie plus apte à exprimer davantage les qualités de liberté, d'amour et de sagesse dans mes expériences. On m'avait permis d'y goûter !

Un grand rêve est un cadeau divin. Il vous permet d'aller de l'avant. Il ouvre une porte sur une plus vaste compréhension de la vie. Il provoque une ouverture de conscience amenant davantage de discernement.

LA CONNAISSANCE DE SOI

Socrate, philosophe grec reconnu pour sa sagesse, dit à son disciple : « **Connais-toi toi-même**. » Cette grande vérité est aussi populaire de nos jours et elle résume l'un des objectifs de l'existence. Pour mieux développer son potentiel divin, il est important de se connaître. Les rêves, en tant que miroirs de votre individualité, reflètent ce qui n'est pas perceptible de l'extérieur.

Par la compilation écrite des expériences oniriques, vous permettez à votre conscience éveillée de recevoir un bagage illimité de connaissances sur vous-même. Les sentiments notés au réveil sont donc très importants pour dégager sous les couches d'images le reflet de votre état profond. Êtes-vous joyeux ou triste? Enthousiasmé ou désabusé? En paix ou en colère?

Vous pouvez être étonné par un élément de surprise ou encore constater que tout va bien pour l'instant. D'ailleurs, il m'arrive souvent d'inscrire à la fin d'un rêve : «C'est OK.» Je sais alors que l'action du rêve est en harmonie avec ce que j'ai à vivre.

Dans le rêve suivant, un homme de 32 ans, divorcé, raconte :

> «Depuis quelques semaines, un rêve revient. Je suis dans une pièce paisible et lumineuse où je me sens bien. Sur une petite table, repose un cygne au long cou, en verre soufflé, reflétant une couleur mixte de bleu azur ou de noir, selon l'angle d'où on l'observe. Soudain, le bibelot s'anime et se transforme.
>
> J'entends une musique provenant d'un instrument que je ne connais pas. Cela me rappelle les sonorités d'un instrument à vent, entre la clarinette et le basson. Le cygne s'illumine d'une vive lumière blanche et des sons de clochettes se font entendre.
>
> Il se transforme alors en petite fée qui vole partout dans la pièce; elle semble répandre de bonnes choses autour d'elle. Je l'adore. Je me surprends à imiter ses gestes qui ressemblent à ceux de la déesse à huit membres, Shiva. Ses mouvements, coordonnés et

souples, suivent la musique. La déesse redevient ensuite statue de verre, un cygne au long cou. Je m'immobilise moi aussi dans une position fixe. J'attends.

Puis, tout recommence : la danse et la musique. Ce scénario se répète plusieurs fois. Je m'éveille. Je me sens bien. Y a-t-il une fée en moi ? »

Ce rêve permet à cet homme de renouer avec sa créativité et de faire confiance à sa petite fée intérieure, sa partie joyeuse et inspirante. De plus, en découvrant l'aspect féminin de sa personnalité, il peut devenir plus réceptif et intuitif afin de mieux composer avec les expériences qu'il vit intensément. À cause de la présence des deux manifestations de l'Esprit, la lumière (le cygne lumineux) et le son (les clochettes), on remarque la valeur spirituelle de ce rêve inspirant.

LES ASPECTS FÉMININS ET MASCULINS

Le rêve dévoile les deux aspects polarisés de votre individualité : le féminin et le masculin. Le principe féminin, l'*anima*, ainsi nommé par Carl Jung, est aussi présent chez l'homme. Le principe masculin, ou *animus*, est aussi présent chez la femme. L'énergie masculine raisonne alors que l'énergie féminine ressent. Les deux se complètent et forment une unité. En chaque femme existe un petit homme et en tout homme existe une petite femme. Les philosophies orientales les nomment *Yin* (féminin) et *Yang* (masculin).

L'élément féminin favorise la réceptivité et l'écoute intérieure. L'élément masculin, plus agressif et analytique, provoque l'action. L'union de ces deux énergies est à la base du processus de création. L'intuition jumelée à l'action permet de créer.

Si vous arrivez à un point où vous devez éveiller votre aspect complémentaire (le masculin chez la femme ou le féminin chez l'homme), vos rêves vont le signaler. C'est ce qui se passe dans le rêve suivant :

> Titre : Charles s'occupe de tout.
>
> «J'observe un homme nommé Charles (que je ne connais pas du tout dans la réalité éveillée). Il a la charge d'une famille. Sa femme et ses deux enfants sont dans la maison avec lui. Soudain, une tempête menaçante se prépare à l'extérieur. Charles s'empresse de veiller à la sécurité des siens. Il sort de la maison, ferme les volets des fenêtres, revient à l'intérieur et met les enfants au lit. De fortes pluies et des vents violents secouent la petite maison. Plus tard, tout se calme. Charles vérifie s'il y a eu des dommages à l'extérieur de la maison, puis s'assure que les enfants dorment toujours. Sa femme a confiance en lui, il s'occupe de tout.»

À la fin du rêve, je ressens un sentiment de protection et de sécurité engendré par cet homme si prévenant. Intriguée, j'inscris mon rêve sans pourtant y déceler une piste d'interprétation. Quelques heures plus tard, à la suite d'un moment de relaxation et de contemplation, je fais le lien avec la période difficile que je vis. En effet, je suis confrontée à des situations pour lesquelles je n'ai aucune solution (la tempête). Soudain, un éclair de compréhension apparaît et je réalise que je ne réussirai à m'en sortir qu'avec mes qualités masculines : agir sans avoir peur, protéger ma maison intérieure grâce à mon Charles sûr de lui. Ce rêve m'a inspiré davantage d'action et de force. La femme fragile et vulnérable en moi se sent soutenue par son homme fort et protecteur.

Une jeune étudiante de 16 ans a fait le rêve suivant :

Titre : La surprise

«Je suis dans un magasin de vêtements et j'achète un étalage complet de jupes courtes et de blouses légères. Ces vêtements se ressemblent tous, ils sont très jolis et plutôt sexy.»

Un sentiment d'étonnement succède à ce rêve. La rêveuse ne porte plus ce type de vêtements depuis quelques années car elle a pris du poids. Cette transformation corporelle l'a amenée à renier la coquetterie. Le rêve lui révèle que sa partie féminine réclame de l'attention, symbolisée par l'achat effréné de vêtements délicats.

Voici un autre rêve, fait par un homme de 30 ans :

«Je suis dans une voiture conduite par une femme, sur une autoroute. La conductrice semble fatiguée et à plusieurs reprises je lui offre de prendre le volant. Elle refuse chaque fois. À un certain moment, je me retourne vers elle et constate qu'elle dort en conduisant. Doucement, je l'aide à garer la voiture en bordure de l'autoroute. Puis, j'installe la femme sur la banquette arrière. Avec beaucoup de soin, je place un oreiller sous sa tête et l'enveloppe dans une couverture confortable. Je prends ensuite le volant afin de poursuivre le trajet sur l'autoroute.»

Le rêveur a analysé ce scénario de la façon suivante :

«Ce rêve m'a paru très limpide à partir du moment où je l'ai inscrit au réveil. La femme au volant représente mon aspect féminin et sa fatigue témoigne de mon côté réceptif devenu incapable de poursuivre la route. La voiture symbolise mon corps, et l'autoroute, ma vie future. Mon côté actif, le passager, demande à prendre le volant, donc le contrôle, et l'aspect passif refuse. Ce dernier s'étant endormi, le principe masculin se charge

> d'en prendre soin et l'installe très confortablement à l'arrière de la voiture. (Je ne veux pas faire abstraction de cet aspect de ma personnalité car il me permet de recevoir de la vie. J'en prends donc bien soin.) Le masculin en moi reprend le volant avec sa fonction décisionnelle. Ceci reflète les conditions actuelles de ma démarche : je commence à peine à prendre ma vie en main, à être enfin le capitaine de mon navire. »

Un autre symbole relié à ces deux aspects, féminin et masculin, est celui du mariage. Dans les rêves, il indique souvent l'union de ces deux facettes complémentaires. L'énergie masculine s'harmonise avec l'énergie féminine pour enfin s'unir.

LA PEUR DE LA MORT

Une autre façon de cheminer spirituellement avec vos rêves est d'aller vérifier des données ou vérités que vous avez lues ou entendues. Par exemple, une question classique et fondamentale : Que se passe-t-il après la mort ?

La mort est cette grande inconnue qui nous terrasse tous un jour ou l'autre. Elle représente la fin pour la conscience humaine et engendre donc de grandes peurs. C'est un sujet tabou qu'on ose cependant aborder de plus en plus de nos jours, heureusement !

Que cache la mort ? Que nous réserve-t-elle ? Y a-t-il un moyen de le savoir ? Peut-être, pour les aventureux.

Par le truchement des rêves, il est possible de soulever le voile de la mort. Le rêve et la mort jouissent d'un lien de parenté très proche. On dit que le rêve est le petit frère de la mort. Chaque nuit, l'âme ne quitte-t-elle pas le corps physique temporairement pour aller expérimenter dans les autres dimensions de conscience ? Au petit matin, elle réintègre son enveloppe afin de poursuivre sa mission terrestre. Ce départ durant le rêve est provisoire alors qu'à la mort il est permanent : c'est l'unique différence.

Où va donc l'âme lors de ces escapades temporaires (rêve) ou permanentes (mort) ? Depuis longtemps, les mystiques orientaux en parlent par le biais des religions et les scientifiques s'y intéressent de plus en plus. Les preuves, évidemment subjectives, seront de toute manière une question d'expérience personnelle. Les personnes ayant vécu une mort clinique témoignent de visions de l'autre monde et chacune rapporte à sa façon cette réalité subjective.

Pour vaincre ou diminuer la peur de la mort, le rêve peut être d'une grande utilité. Voici, en exemple, le rêve d'un jeune médecin de 31 ans :

> « Je suis seul dans un terrain de stationnement. Puis, je me retrouve avec ma compagne devant un restaurant. L'endroit est bondé, alors je me tiens à l'écart pendant que mon amie tente d'obtenir une place dans le restaurant. À l'extérieur, je m'adosse à une clôture, tout en entendant l'hôtesse dire que nous devrons patienter une heure ou plus. Il fait beau et je m'endors... Le ciel est bleu et je me sens bien. Mon corps commence à ressentir des fourmillements diffus qui me procurent une sensation de bien-être. Tout à coup, au-dessus de moi, j'aperçois des milliers de points noirs qui dessinent des mouvements très rapides, associés à des cris d'oiseaux de haute fréquence et de forte intensité. Puis, les points se rapprochent entre eux et forment une masse plus dense, sans toutefois obscurcir le ciel. Un bruit de tonnerre se fait entendre et le centre de la masse de points s'ouvre pour laisser passer une sphère lumineuse dorée ou orangée. Dans celle-ci, je distingue deux enfants enlacés qui me sourient. Ils me font des signes avec leurs

bras en traçant des demi-cercles et j'entends intérieurement : "Viens ! Viens ! Est-ce que tu viens ?" La scène est toujours accompagnée de cris d'oiseaux. Brusquement, la sphère, qui est demeurée à une distance respectable de mon corps, se met à accélérer de façon foudroyante vers le ciel. À cet instant, je ressens un intense désir d'accompagner les enfants, en même temps qu'une hésitation. Dès que je décide de les suivre, je me sens instantanément aspiré, soulevé, et un sentiment d'exaltation m'envahit, comme lors d'une expérience nouvelle et inconnue. À ce moment, je me dis : "Je suis prêt, je n'ai pas peur, l'expérience est unique." Et je m'entends dire : "Eh ! ça ne fait pas mal de mourir ! Mon corps se sent si bien."»

Au réveil, cet homme a perçu une sensation très agréable et s'est senti en paix avec lui-même. Il se dit que ces moments si rares sont les plus merveilleux de son existence terrestre. Il n'a plus peur de la mort.

Les plans subtils ou dimensions de conscience existent et le rêve en est une porte d'accès. Dans son livre*, Hélène Renard consacre un chapitre complet sur les rêves et l'après-vie. Les témoignages de rêves recueillis ont des scénarios semblables aux expériences de mort imminente. Ces scènes ont en commun les images suivantes : le tunnel, le chemin étroit, l'autre pays et la lumière.

La description de ces mondes inconnus frôle le fantastique. On y décrit des lieux d'une extraordinaire beauté, des villes superbes, des endroits d'une grande luminosité. Ces songes sont une réalité pour le rêveur et lui seul peut valider une telle expérience.

Pour vous reconnaître dans ces dimensions subtiles, les couleurs peuvent être un point de repère. Les

---

* Renard, Hélène, *Les Rêves et l'Au-delà*, Éditions Philippe Lebaud, Paris, 1991, 256 p.

teintes de rose peuvent s'associer au plan des émotions, appelé «plan astral». La couleur orange représente parfois la trame temporelle ou «plan causal», siège de la mémoire passée, présente et future. Le bleu peut indiquer la dimension de l'intellect et des pensées, nommée «plan mental». Le violet évoque le dernier plan, celui du subconscient et de l'intuition. L'or et le blanc désignent davantage les mondes spirituels purs. Ces indications ne sont que des pistes possibles, il ne faut pas les prendre à la lettre. Fiez-vous à votre intuition pour faire les associations probables.

Voici un exemple de l'aide des couleurs pour analyser le rêve d'une jeune fille de 17 ans :

> «Je suis dans la cour de la maison familiale avec ma mère. Une voiture bleue arrive. Il en sort une femme dont les mains me surprennent. Chaque doigt se termine par de longues griffes de métal. La dame se dirige d'un pas décidé vers une jeune fille vêtue d'une jolie robe rose à dentelles. La dame aux longues griffes étrangle la fille en rose. Elle meurt. J'ai très peur.»

La rêveuse admet que son côté rationnel, son mental ou intellect est très dominant dans sa vie au détriment de ses émotions, qu'elle ignore le plus possible. Le rêve lui dévoile l'emprise de son mental (la conductrice de la voiture bleue) sur sa partie sentimentale (la fille en robe rose). La situation étant établie, il ne lui reste qu'à modifier son comportement à dominance rationnelle qui met en péril son côté émotionnel.

Grâce aux rêves télépathiques avec des personnes décédées, vous pouvez aussi recevoir de l'information sur l'après-vie. Une femme de 40 ans raconte le rêve suivant :

« Je suis sur un balcon avec ma mère (décédée un an auparavant). Je lui dis de faire attention, de ne pas s'appuyer car elle pourrait tomber. Elle me regarde en ayant l'air de dire que même si elle tombait il ne pourrait rien lui arriver. Et de fait, elle me montre qu'elle peut tomber sans se faire de mal car elle n'a plus de corps physique. »

Ce rêve a permis à la rêveuse de constater que les lois étaient différentes dans cet autre monde.

VOTRE MISSION

Nous ressentons de plus en plus le besoin de connaître la raison de notre présence sur Terre.

Chacun de nous va quelque part. Le but est imprimé en nous dès notre naissance, et probablement depuis le début de l'Univers. Il existe une tendance directrice, une ligne de conduite, programmée dans nos ordinateurs inconscients ; cette tendance se manifeste par un processus de maturation permanente et progressive, qui suit un plan déterminé[*].

Vous est-il arrivé de vous poser les questions suivantes : Pourquoi suis-je ici ? Ai-je quelque chose à accomplir ? Quelle est ma mission ? Si oui, les rêves peuvent vous aider à y répondre. Ils vous indiquent la tâche qui vous est assignée ou les actions pour lesquelles vous êtes destiné. En d'autres mots, les rêves peuvent dévoiler votre mission individuelle. Que ce soit à court terme ou à longue échéance, cette recon-

* Daco, Pierre, *L'Interprétation des rêves*, Éditions Marabout, Verviers, 1979, p. 246.

naissance aide à voir, à mieux orienter vos choix et vos décisions.

Il suffit de le demander et d'être prêt à recevoir la réponse. L'été dernier, alors que je suis en vacances sur la Côte d'Azur, je fais un très long rêve. Au réveil, une seule phrase continue de rouler dans ma mémoire, car les images se sont dissipées très rapidement. La phrase me dit : « Tu es chanceuse de connaître ta mission, beaucoup de gens l'ignorent. » Intuitivement, je sais très bien de quoi il s'agit et cet énoncé me donne le courage nécessaire pour accomplir ce qui était à peine amorcé*.

Vous pouvez aussi connaître votre mission à plus long terme. Une amie a fait le rêve qui suit à plusieurs reprises, vers l'âge de 10 ans :

> « Je passe près d'une église et je vois un cortège funèbre. C'est un bébé qui est mort. La mère éplorée le tient dans ses bras. Je lui offre de le porter jusqu'à l'église. Sitôt que je le prends dans mes bras, l'enfant s'éveille ! C'est la joie et l'euphorie, je suis très heureuse et je redonne l'enfant à sa mère. Mais dès qu'il quitte mes bras, il meurt. Je le reprends et il revit. En fait, il ne peut vivre que dans mes bras. Quelle angoisse et quel dilemme ! »

La rêveuse a interprété ce rêve de la façon suivante :

> « Je crois que mon âme a choisi ce corps physique et que ma vie n'appartient qu'à moi. Je ne peux échapper à cette vie, il faut que je la vive avec le souffle qui m'a été donné. »

---

* Gratton, Nicole, *Découvrez votre mission personnelle,* Les éditions Un monde différent, Saint-Hubert, 1999, 154 p.

Voici un autre exemple, qui provient de la fondatrice du centre Écoute ton corps, Lise Bourbeau. En 1982, elle fait un rêve impressionnant qui a transformé sa vie en lui indiquant sa mission future :

Environ trois mois après ma sortie de l'hôpital, je fais un rêve extraordinaire, un rêve prémonitoire qui me dit que je dois quitter la vente pour me diriger vers la croissance personnelle. Enfin, un rêve agréable ! Je prends le temps de le noter en détail[*].

UN GUIDE

Pour vous aider à discerner les expériences en rêve concernant votre croissance personnelle, vous pouvez consulter le guide du rêve. Dans la hiérarchie spirituelle, il existe des guides intérieurs pour tous les besoins individuels. Leur fonction est de vous assister dans votre démarche de croissance.

Pour faire appel à un tel guide, vous n'avez qu'à l'inviter à travailler avec vous. Son grand respect de la liberté de chacun le tient à l'écart tant et aussi longtemps que son aide n'est pas sollicitée. Une simple invitation suffit. Il se fait alors un plaisir et un honneur de vous seconder dans vos efforts.

Olivier Clerc[**] mentionne :

L'autre recommandation est la suivante : une fois arrivé à un certain niveau dans votre travail avec le rêve, il est bon de chercher une personne spirituelle-

---

* Bourbeau, Lise, *Je suis Dieu, wow!* Éditions E.T.C., Montréal, 1991, p. 93.

** Clerc, Olivier, *Vivre ses rêves*, Éditions Guy Saint-Jean HELIOS, Laval, 1986, p. 133.

ment plus avancée que vous, [...] qui puisse vous guider dans votre développement.

Si vous n'en connaissez aucune, faites appel au maître du rêve et demandez-lui de se faire connaître. Celui-ci vous guidera en temps et lieu vers la bonne personne, si nécessaire.

Pour moi, cette notion de maître du rêve a été longue à apprivoiser. Mais une fois mes peurs et mes doutes envolés, j'ai compris que cette aide précieuse était un cadeau divin. Le respect et l'amour du guide intérieur sont un appui constant dans mon cheminement spirituel et l'atteinte de la maîtrise.

La première fois que Sylvie a rencontré le guide du rêve, elle était sans mots pour décrire son expérience :

> « Je suis aux prises avec une situation sans issue. Tout à coup, je me rappelle que je peux demander de l'aide. Je pense fortement au maître du rêve, et soudain, un homme apparaît à mes côtés. De lui se dégage un courant d'amour que jamais je n'avais senti auparavant. Il me regarde avec tellement de compassion et de respect que je reste sidérée pendant un long moment. Puis, je comprends qu'il n'est pas là pour me juger. Sa présence bienfaisante me donne le courage de me défaire de la situation embarrassante. Je me suis éveillée avec le sentiment que j'étais protégée et surtout aimée. »

Une femme de 39 ans témoigne de l'aide reçue dans le rêve suivant :

> « Je suis à la campagne, dans la région où mon père habite. Ce lieu était autrefois notre maison d'été. Il y a une inondation et je suis emportée par d'énormes vagues noires. Il fait un temps orageux. Je vais couler, j'ai très peur... Je pense alors au guide intérieur. Très vite, je suis transportée par lui. Je fais du surf sur la crête des vagues.

> J'arrive enfin dans un endroit sécuritaire. Je dois passer par un petit carreau tout en sachant que ce ne sera pas difficile car il y a des gens qui m'accueillent et m'aident à traverser. Une fois de l'autre côté, mon père m'attend avec une de mes tantes. Nous sommes heureux d'être ensemble ! Je m'éveille toute joyeuse de ce beau rêve. »

Les rêves sont un outil précieux à portée de vos nuits pour seconder votre croissance personnelle. Ils s'adaptent à vos besoins et guident vos pas. Ils ouvrent une porte sur votre intériorité et vous y avez accès aussi souvent que vous le désirez. Il ne tient qu'à vous de maintenir cette ouverture privilégiée par un intérêt soutenu.

Plus vous comprenez le mécanisme du rêve, donc de vos facultés intérieures latentes, plus vous découvrez votre véritable identité. Cette connaissance entraîne inévitablement dans son sillon votre développement personnel*.

---

* Gratton, Nicole, *Rêves et Spiritualité,* Les Éditions le Dauphin Blanc, Loretteville, 2003.

10

Le rêveur actif

« ... je vois un immense saule passer à travers le balcon. L'expression qui me vient spontanément à l'esprit est : l'arbre d'abondance. »

Tout en faisant le bilan des techniques présentées, voyons comment le rêve peut nous seconder au quotidien. En devenant un rêveur actif, il est possible d'améliorer le présent, de planifier le futur et de vivre l'abondance. L'art de rêver est accessible à tous ceux qui voudront bien le perfectionner.

AMÉLIORER LE PRÉSENT

Chaque nuit, le rêve vous donne accès à un survol de votre vie. Il permet d'avoir une vue d'ensemble des conditions actuelles pour vous donner ainsi une meilleure perspective. Vous pouvez alors vous réajuster afin d'améliorer le présent. Voici quelques exemples.

Dans le rêve suivant, une étudiante de 16 ans a pu établir un changement de comportement qui s'avérait nécessaire :

> « Je suis dans le salon chez mes parents. Tout à coup, une quantité de téléphones se jettent sur moi. Je sors pour m'échapper et vois des autobus qui eux aussi se précipitent sur moi. Je m'éveille très intriguée par tout cela. »

En répertoriant trois symboles de la vie sociale, c'est-à-dire le salon (lieu de rencontre), le téléphone (objet de communication) et l'autobus (conduite en groupe), son rêve lui révélait une trop grande implication sociale. Il l'informait que son entourage l'agressait.

Dans une phase d'incertitude, une jeune femme a fait le rêve suivant :

> Titre : La perte de contrôle
> «Je conduis une camionnette. Soudain, je me rends compte qu'il n'y a plus de volant. Je cherche un endroit où m'arrêter sans avoir d'accident.»

Cette expérience onirique lui permet de se ressaisir à temps afin d'éviter les inconvénients d'un accident de parcours dans ses occupations. Elle reprend le contrôle.

Miroir de votre vie intérieure, le rêve influence directement votre vie extérieure. Il sera donc plus aisé de remédier aux lacunes de vos mondes intérieurs, de vos émotions et de vos pensées en les observant par le reflet du rêve.

Une dame de 70 ans fait souvent ce rêve :

> «Je suis dans une maison dont l'intérieur est tout délabré. Les chambranles sont déformés, les murs sont en décrépitude et les planchers détériorés. Je m'éveille toujours dans un état de malaise profond.»

Cette dame avoue nourrir beaucoup d'amertume. Ses pensées sont souvent négatives et tristes. Ses rêves répétitifs reflètent cette angoisse et lui indiquent que sa vie intérieure (la maison) est en piètre état.

Pour favoriser un bien-être accru et vivre pleinement le moment présent, rappelons trois méthodes déjà décrites.

Premièrement, la **relecture** du journal de rêves, qui favorise une perspective élargie face aux rêves compilés. Cette nouvelle vision acquise par le recul du temps amène une meilleure compréhension des événements. Vous pouvez ainsi détecter le problème à solutionner, l'attitude à corriger ou la situation troublante à cerner.

Graduellement, vous augmentez votre capacité à repérer les rêves compensateurs qui rétablissent votre équilibre émotif, les rêves prophétiques qui vous donnent un aperçu de l'avenir, les rêves télépathiques qui vous mettent en communication avec votre entourage, et finalement les rêves spirituels qui vous revitalisent et stimulent votre développement intérieur.

Par la relecture, vous êtes en mesure de déceler les séries de rêves qui se complètent ou qui fournissent une suite logique perceptible grâce à la vue d'ensemble.

Deuxièmement, l'**action**, qui résulte de deux composantes. D'abord, celle qui vous incite à agir en fonction de l'information en provenance de la nuit. Ces renseignements précieux offrent des pistes possibles pour corriger une mauvaise attitude, pour solutionner un problème urgent ou pour procurer une motivation de poursuivre dans une direction incertaine. En voici un exemple tiré de mon journal :

> Titre : Le mort ressuscité
>
> « J'accompagne une amie qui va au salon funéraire. Sur les lieux, je m'empresse d'aller près du cercueil pour regarder le défunt. En m'approchant de lui, j'aperçois sa main qui bouge. Puis, il lève la tête et me regarde en souriant (stupéfaction). Il me prend la main et veut me parler. Les gens autour de moi ne semblent pas remarquer ce fait. Lorsque je m'éloigne du cercueil, le mort ressuscité me suit et nous nous tenons par la taille. J'accepte cet homme qui semble revivre à cause de moi. C'est ainsi. »

Les sentiments notés à la fin du rêve sont : bien-être et acceptation heureuse. Après avoir inscrit ce récit dans mon cahier de rêves, je porte mon attention sur la demande de la veille. J'avais fait le postulat de trouver un élément d'humour pour une conférence à venir dans le cadre d'un colloque sur les rêves. Le rêve du mort ressuscité ne semble pas drôle du tout, alors je le mets de côté. Puis, je laisse voguer mon imagination vers une scène amusante qui se dessine sur mon écran mental avec un personnage coloré qui fabule sur les rêves...

Une heure plus tard, tout y est, un scénario comique de quatre minutes pour détendre l'auditoire, mais le doute s'empare de moi : « Serai-je capable de jouer ce personnage ? Les gens vont-ils rire ? Aurai-je l'air ridicule ? » Autant de questions, autant de peurs. Le cœur s'emballe, le trac revient comme à mes débuts, je vais laisser tomber, c'est trop pour moi. Puis, je décide de consulter à nouveau mes rêves de la nuit précédente pour trouver un indice me confirmant ce choix. « Le mort ressuscité »... Tiens, tiens... Qui est-il celui-là ? Ô surprise, je réalise que c'est l'acteur en moi que j'ai fait revivre en m'approchant de lui, c'est-à-dire en suivant des cours de théâtre depuis un an déjà. Il était mort en apparence mais, trop tard maintenant, je l'ai ranimé par ma curiosité. La belle affaire ! Mais je suis quand même libre d'abandonner ce défi (jouer le personnage humoristique) et de me confiner dans la sécurité du connu (donner ma conférence comme je l'ai toujours donnée, sérieusement, sans risque de ridicule). Vous devinez la suite... J'ai joué ma petite scène, j'ai entendu des rires à l'extérieur (l'auditoire) et à l'intérieur (l'acteur ressuscité). Ce rêve m'a poussée à l'action, grâce au sentiment positif ressenti à la fin.

Une seconde façon de constater l'effet de l'action est dans le **rêve lucide**, celui où vous avez conscience de rêver. Vous pouvez donc agir directement dans le rêve pour modifier ou rétablir une situation qui ne vous convient pas. Les rêves agréables sont ainsi favorisés et les cauchemars ont tendance à diminuer grâce à votre initiative. Les **rêves d'envol** vous procurent aussi un sentiment de grande liberté et vous invitent à monter plus haut.

La troisième méthode permet de mieux **diriger** votre existence en utilisant les **postulats quotidiens** et les **thèmes mensuels**. Ces choix dépendent de vos priorités présentes. Vous pouvez améliorer une aptitude, diminuer une peur incommodante ou encore développer un talent nouveau. De plus, la demande formulée pour les rêves à venir vous permet d'augmenter votre capacité de faire face à vos responsabilités et de vivre plus heureux. Ainsi, vous assumez votre droit à la liberté individuelle, ce qui vous procure une plus grande autonomie.

En décidant ce à quoi vous voulez rêver, vous faites appel à votre libre arbitre et vous agissez dans le moment présent. Ce pouvoir légitime vous appartient en tant qu'âme et c'est l'intuition qui sera votre guide dans vos choix. La petite voix intérieure vous chuchotera délicatement l'orientation idéale pour vous, dans l'instant présent. Soyez donc à l'écoute durant l'éveil et le sommeil.

PLANIFIER LE FUTUR

Voici un deuxième moyen que vous pouvez utiliser en tant que rêveur actif pour apprendre à planifier le futur, à court et à moyen terme. Deux techniques offrent cette possibilité.

La première est d'observer les **rêves prophétiques** qui se présentent à vous. Ils sont des poteaux indicateurs de l'avenir. Tantôt, ils vous préviennent d'une probabilité et vous laissent de la latitude pour y remédier avant qu'il ne soit trop tard. Tantôt, de nature prémonitoire, ils vous montrent un événement futur que vous ne pouvez pas éviter mais pour lequel vous pouvez vous préparer intérieurement.

Une mère de trois jeunes adultes a fait ce rêve :

> « Je me promène sur le trottoir, le long d'une route de campagne, avec l'aînée de mes filles. Nous cherchons la plus jeune. En un instant, ça change et c'est l'inverse : je marche avec la plus jeune et nous cherchons l'aînée. Je l'ai perdue. Nous regardons partout, elle est introuvable. »

Dans la réalité, la cadette est schizophrène et sa mère la considère comme perdue. Par contre, la plus âgée se porte très bien au moment du rêve. Quelques semaines plus tard, celle-ci a un accident et se retrouve dans le coma. La mère avait été préparée à l'avance à ce tragique événement.

La deuxième technique consiste à utiliser le **rêve induit** pour avoir accès au futur. Ce moyen est très utile pour déterminer les bons choix concernant votre avenir. Il s'agit de faire un postulat du genre : « Cette nuit, je vérifie si le projet X est bon pour moi », ou encore, demandez l'aide du guide du rêve de la façon suivante : « Cette nuit, j'invite le maître du rêve à me montrer les conséquences futures de telle action. »

Avec un désir sincère d'évoluer et une grande confiance en vous et en l'Esprit, tout est possible grâce aux rêves. Le futur dépend de l'instant présent et c'est dans cet instant présent que l'âme détient tous ses pouvoirs d'**agir**, de **connaître** et d'**être**. Elle possède la liberté d'action, elle fait donc ses propres choix et, par la suite, en assume les conséquences. L'âme est cause et les corps physique, émotionnel et mental sont à son service.

Que ce soit pour un problème qui semble sans issue, une information sur votre vie amoureuse ou un nouveau travail en perspective, le rêve induit vous guidera vers le bon choix. Il s'agit de poser la question bien clairement, par écrit si possible, de vous laisser imprégner par son contenu, puis de faire confiance : la réponse se manifestera au moment opportun.

Si vous notez tous vos rêves et les relisez régulièrement, la solution apparaîtra immanquablement, sous une forme ou une autre. Pour les rêves compilés qui sont très longs, déjouez la stratégie d'un mental parfois trop bavard et lisez seulement la première et la dernière phrase. Vous serez peut-être surpris de ce que vous allez découvrir.

VIVRE L'ABONDANCE

En tant que rêveur actif, vous pouvez aussi utiliser une troisième stratégie fort utile dans le quotidien : l'aptitude à vivre l'abondance.

La vie est synonyme d'abondance. Dans sa plus simple expression, symbolisée par la nature, elle témoigne de la manifestation continue de richesses naturelles. Observez la multitude de fleurs sauvages qui poussent dans les champs au printemps ou écoutez les chants des oiseaux qui offrent généreusement leurs concerts inépuisables. La vie donne... nous recevons. Le manque est ressenti quand nous ne pouvons pas ou ne voulons pas recevoir.

La cause d'un tel blocage peut être révélée par les rêves. Par la suite, on peut remédier à la situation et se mettre en position de recevoir à nouveau. Le rêve suivant m'a enseigné comment recevoir :

Titre : Les fraises rouges

« Je suis avec trois de mes amies. L'une d'elles nous montre un panier rempli de belles fraises rouges appétissantes. Elle nous en offre. Les autres dégustent allégrement ces fruits savoureux. Moi, je n'ose pas en prendre. Mon amie insiste pour que j'y goûte. Finalement, j'accepte d'en prendre deux et je ne le regrette pas car elles sont délicieuses. »

Le sentiment à la fin du rêve était : heureuse d'avoir accepté ces beaux fruits. L'émotion de gratitude était tellement présente que le lendemain, en revoyant l'amie du rêve, je n'ai pu m'empêcher de la remercier pour les beaux fruits qu'elle m'avait offerts.

En plus de l'aspect de guérison face à ma capacité de recevoir, le rêve contenait aussi un caractère prémonitoire car cette même amie m'a donné deux jours plus tard un renseignement qui représentait pour moi un magnifique cadeau.

L'abondance et la prospérité étant inhérentes à la vie, quels sont les empêchements majeurs à une telle manifestation ? L'**ignorance** : si vous ne savez pas que vous méritez ce qu'il y a de mieux pour votre évolution spirituelle et que l'Esprit est disponible pour vous aider, vous avez de bonnes chances de passer à côté de ces dons divins. Si vous ignorez que le rêve est votre informateur, votre meilleur ami et votre plus grand soutien, vous risquez, là aussi, de ne pas en profiter.

Les **limites** individuelles ancrées dans votre esprit : tous les sentiments d'incapacité représentent des limites. Alors, le rêve devient un moyen de vous prouver le contraire. À titre d'exemple, encore récemment l'écriture de ce livre me paraissait impossible, à cause des limites que je m'imposais. Puis, à plusieurs reprises, mes rêves ont indiqué que je pouvais l'entreprendre. Un jour, j'ai osé en parler à une amie. Celle-ci, possédant une formation en écriture, m'a généreusement offert son aide et son soutien. Plus tard, une autre amie s'est jointe à nous dans l'élaboration de ce projet. Et mon premier livre a pris forme graduellement, grâce à l'abondance d'aide et de soutien qu'elles m'ont offerte. Par la suite, j'ai pu bénéficier d'une abondance de motivation intérieure.

Quand les obstacles se dissipent peu à peu, l'abondance se manifeste de plus en plus. Le rêve suivant, fait le jour de mon anniversaire de naissance, m'y avait préparée.

> Titre : L'arbre d'abondance
>
> «C'est une magnifique journée d'été. Je regarde par la fenêtre du chalet et je vois un immense saule passer à travers le balcon. L'expression qui me vient spontanément à l'esprit est : l'arbre d'abondance.»

Le sentiment noté : richesse imminente. Les événements qui se sont produits par la suite ont validé ce rêve prémonitoire symbolique de la façon suivante : abondance de temps, grâce à la diminution de mes heures de travail à l'extérieur, abondance d'amitié en raison de l'élargissement de mon cercle d'amis, abondance de joies par la pratique d'un nouveau travail mieux adapté à mes capacités et à mes talents.

Les expériences quotidiennes me montrent constamment que la richesse ne vient pas uniquement des biens matériels, mais aussi des acquisitions intérieures, tels la créativité, la confiance en soi, l'amour et le partage.

LA GRATITUDE

Que vos rêves vous procurent l'abondance de compréhension, de guérison ou d'amour, n'oubliez jamais l'abondance de gratitude. Cette reconnaissance permettra à un plus grand flot d'énergie positive d'entrer dans votre vie.

La gratitude crée une ouverture du cœur qui permet à l'Esprit, au cosmos, à l'Univers — peu importe l'appellation — d'amener davantage de bénédictions dans vos expériences.

L'abondance se manifestera sous forme de joie, de bonheur et d'extase. À cette fin, le rêve pourra servir d'informateur. Voici un rêve que j'ai fait récemment à ce propos :

> Titre : Le don de 1 000 $
>
> « Je marche dans la rue et passe devant un homme qui donne des billets de 1 $. Je m'arrête et en prends un. Je continue ma route en jetant un regard sur les chiffres du billet. Je lis 1 000 $! Wow ! C'est sûrement une erreur de la part de l'homme. Je veux le lui rapporter, mais une voix intérieure, mon intuition, me dit que c'est un don voulu. J'accepte et j'en suis très heureuse. Sentiments : joie de recevoir, gratitude. »

Dans la réalité, ce rêve marque le début d'un mois où j'ai choisi le thème de la sagesse. Les expériences et les rêves qui ont accompagné ce thème sont tous en relation avec la capacité de recevoir. J'ai ainsi saisi l'importance de la sagesse d'apprendre à recevoir pour pouvoir donner encore plus. Et la gratitude en est la résultante.

Remerciez vos rêves pour l'aide précieuse et généreuse qu'ils vous apportent et maintenez cette communication. Le lien parfois fragile s'affermira et votre confiance en eux augmentera. Vos rêves sont un cadeau divin, ayez de la reconnaissance pour ce présent inestimable. La discipline et la persévérance sont le prix à payer, et la gratitude, une assurance de réussite.

11

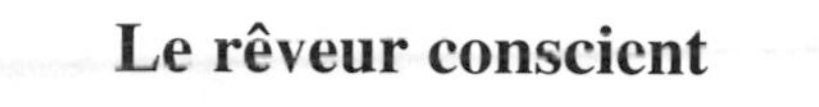

Le rêveur conscient

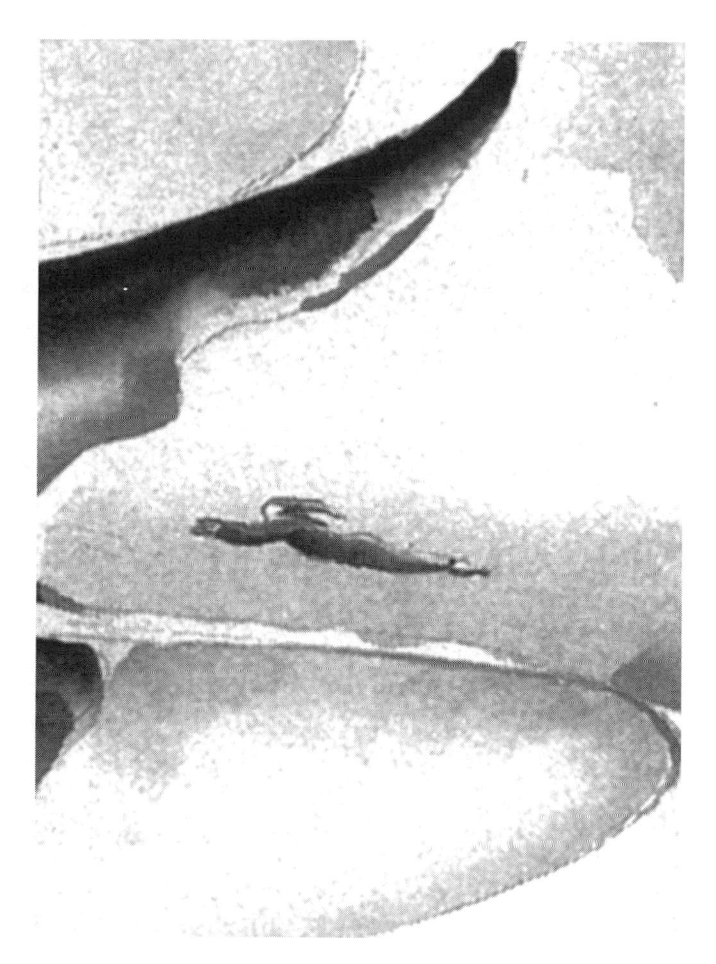

En tant que rêveur nous pouvons devenir de plus en plus engagé dans le processus de conscientisation du soi, notre moi supérieur.

Même si notre corps physique a besoin de dormir, une partie de notre conscience demeure vigilante jour et nuit. Cette conscience supérieure que l'on nomme l'âme expérimente durant les trois états de conscience : l'éveil, le sommeil et le rêve.

En tant que rêveur, nous pouvons devenir de plus en plus engagé dans le processus de conscientisation du soi, notre moi supérieur. C'est alors que nous passons du rêveur *actif* au rêveur *conscient*.

Le rêveur conscient est celui qui ose *savoir*, *faire* et *être*. Il est celui qui *sait* que le rêve a lieu autant en sommeil lent (activité cérébrale minimale avec peu de mémoire de rêve) qu'en sommeil rapide (activité cérébrale intense qui facilite la mémoire de rêve). Il sait alors que la nuit porte conseil et il met cette connaissance en pratique.

Le rêveur conscient est celui qui *fait* tout en son pouvoir pour actualiser le potentiel créateur de ses rêves en tenant un journal de rêves avec une méthode efficace. Il agit avec discipline afin de récolter les précieuses informations en provenance de ses envolées nocturnes.

Le rêveur conscient est celui qui *est* à partir de son essence spirituelle. Il réalise pleinement tout ce qu'il doit être, c'est-à-dire une âme libre et responsable. Il assume son potentiel divin en osant s'aventurer dans les dimensions subtiles de la conscience pour y manifester les qualités divines : amour, sagesse et liberté.

CELUI QUI SAIT

Le rêveur conscient est celui qui sait que chaque moment, de jour comme de nuit, représente une opportunité d'éveil. L'Esprit (la grande force universelle) nous parle jour et nuit. À l'état d'éveil, les signes de jour ou les synchronicités transportent les messages dont nous avons besoin. De Jean-François Vézina, voici une excellente description de la synchronicité : « La synchronicité est une coïncidence entre une réalité intérieure (subjective) et une réalité extérieure (objective) qui se lient par le sens, c'est-à-dire de façon acausale. Cette coïncidence provoque chez la personne qui la vit une forte charge émotionnelle et témoigne de transformations profondes. La synchronicité se produit en période d'impasse, de questionnement ou de chaos* . »

Pour reconnaître les signes de jour, il suffit de prêter attention aux coïncidences qui sortent de l'ordinaire et de les décoder. Que ce soit une marque d'encouragement ou une indication de lâcher prise, le signe diurne est comme un clin d'œil de l'Univers à l'écoute de nos désirs.

À titre d'exemple, Suzanne doit partir en voyage de repos à la suite d'une période de grand stress. Elle hésite entre deux destinations, tout aussi tentantes l'une que l'autre. Elle décode enfin un signe de jour qui la guide dans son choix. Elle voit à trois reprises en l'espace de quelques heures le nom de l'une des deux destinations : d'abord un reportage télévisé, puis un panneau publicitaire et enfin un article de magazine vantent les mérites de ce lieu de vacances. Sa décision

---

* Vézina, Jean-François, *Les hasards nécessaires*, Les Éditions de l'Homme, Montréal, 2001, p. 37.

est aussitôt prise et la suite des événements lui a confirmé la justesse de son choix.

La nuit, les rêves prennent la relève pour communiquer l'information dont nous avons besoin. Sous forme d'images courtes, style flash, de scénarios explicites ou de scènes élaborées, les rêves s'adressent à nous. Les messages importants peuvent se manifester à tout moment durant le sommeil, même si la mémoire de rêves varie tout au long de la nuit. Le rêveur conscient sait que le rêve a lieu durant toute la période du sommeil (sommeil lent et sommeil rapide). D'ailleurs, les scientifiques en possèdent maintenant la preuve et savent enfin ce que les mystiques ont toujours affirmé. De façon plus imagée on pourrait dire ceci : lorsque le corps dort, l'âme s'envole. Certaines personnes peuvent ainsi se rappeler jusqu'à douze rêves différents en une seule nuit. Les recherches ont démontré que 20 % de la population est capable de ramener des rêves faits en période de sommeil profond.

Le rêveur conscient sait que la pratique des postulats quotidiens (induction de rêves) améliore sa mémoire des images oniriques, facilite sa créativité et accélère son évolution intérieure. Les postulats ou demandes peuvent concerner la vie physique (trouver une source de financement pour un projet), la vie sentimentale (comprendre la cause d'une dispute amoureuse), la vie spirituelle (rencontrer un guide intérieur).

Plus nous savons, plus nous agissons avec efficacité et facilité. Il est donc important de bien s'informer sur les possibilités du rêve pour en profiter avec discernement et conscience.

CELUI QUI FAIT

En plus de savoir, il faut aussi agir. Le rêveur conscient est celui qui agit concrètement en tenant un journal de rêves. Dans ce journal, il peut suivre l'évolution, lente mais graduelle, de son ouverture aux dimensions intérieures de l'être.

Le sommeil devient ainsi un moment privilégié pour entrer en contact avec les mondes divins. Dans la Grèce antique, cette pratique était vénérée. Les gens se rendaient dans les nombreux temples dédiés au dieu du sommeil pour y prier et recevoir les guérisons demandées. Cette pratique portait le nom d'incubation onirique. Un rituel de purification et des invocations créaient une ouverture intérieure afin de favoriser la manifestation du rêve souhaité.

De nos jours, la chambre à coucher peut se transformer en temple sacré si nous osons préparer notre sommeil adéquatement. Il suffit de prendre quelques instants pour faire silence et se mettre en état de réceptivité. La prière, la méditation ou l'incubation sont des rituels simples pour accéder à la conscience de l'âme.

Cette ouverture intérieure favorise le rêve lucide. Un rêve lucide est un rêve dans lequel nous savons que nous rêvons. Il suffit alors de profiter de cette lucidité pour agir. L'action varie selon la conscience du moment. Nous pouvons soit observer avec neutralité une scène qui se joue, soit analyser le rêve pendant son déroulement, soit modifier les images du rêve.

Le rêveur conscient fait aussi tout en son pouvoir pour capter durant son sommeil les solutions potentielles à ses problèmes diurnes. Une situation nouvelle ou problématique est une occasion d'éveiller sa créativité afin de trouver un dénouement positif à ses expériences. La vie devient un terrain d'entraînement stimulant pour accéder à son pouvoir intérieur illimité.

CELUI QUI EST

Dans les écrits sacrés, il est souvent fait mention des qualités divines suivantes : amour, sagesse et liberté. En tant qu'âme, nous possédons tous, à des degrés divers, ces trois qualités.

Le rêveur conscient est celui qui est engagé à développer en rêve l'amour, la sagesse et la liberté. Il explore les mondes intérieurs avec la motivation d'évoluer. Cette exploration le conduit sur la route le menant vers le divin ou, en termes plus poétiques, vers la Source. L'amour le rapproche davantage de cette Source, la sagesse guide ses envolées nocturnes et la liberté augmente au fur et à mesure qu'il se responsabilise.

En rêve, nous pouvons expérimenter des états d'amour qui dépassent ceux connus à l'état d'éveil. Cet amour de nature universelle n'est pas confiné dans les limites de l'amour humain. Le cœur s'ouvre à un potentiel croissant de compassion, de générosité et de pardon.

L'expérience acquise à l'état de rêve va aussi amplifier le niveau de sagesse intérieure. Pendant que le corps est au repos, la conscience s'envole dans des dimensions intérieures riches de sensations émotives, intellectuelles et spirituelles. Chaque scénario laisse une parcelle de vécu qui enrichit le corps astral, nourrit le corps mental et solidifie l'âme.

Le rêveur conscient ose manifester le «je suis» dans ses postulats de rêves afin de mieux intégrer les qualités divines qui s'éveillent peu à peu. En voici des exemples :

Cette nuit, je suis amour pour mieux donner.

Cette nuit, je suis amour pour apprendre à pardonner.

Cette nuit, je suis amour pour développer ma compassion.
Cette nuit, je suis sagesse pour comprendre les messages de mes rêves.
Cette nuit, je suis sagesse pour faire les bons choix à tout moment.
Cette nuit, je suis sagesse pour manifester ma créativité.
Cette nuit, je suis liberté pour apprendre à déployer mes ailes spirituelles.
Cette nuit, je suis liberté pour explorer les dimensions intérieures.
Cette nuit, je suis liberté pour servir la vie là où mon âme veut aller.

Par la pratique quotidienne de l'induction de rêve, nous devenons proactifs avec nos nuits. Cet engagement régulier nous amène à assumer nos qualités divines de façon plus intensive avec un résultat concret dans notre vie de jour.

L'âme est une entité heureuse. Si à l'état d'éveil nous doutons de cette affirmation, le rêve peut se charger de nous «éveiller» à cette grande vérité, car le rêveur conscient goûte de plus en plus aux splendeurs des mondes intérieurs là où l'inspiration divine éblouit (rêves de lumière), là où les joies célestes se font connaître (rêves d'extase), là où les sons sublimes se font entendre (rêves d'enseignements).

De rêveur actif qui comprend le passé, améliore le présent et planifie le futur, nous pouvons maintenant devenir rêveur conscient qui sait pourquoi il rêve, qui fait le nécessaire pour cultiver sa conscience onirique et qui est de plus en plus amour, sagesse et liberté.

12

De la libération à la transformation

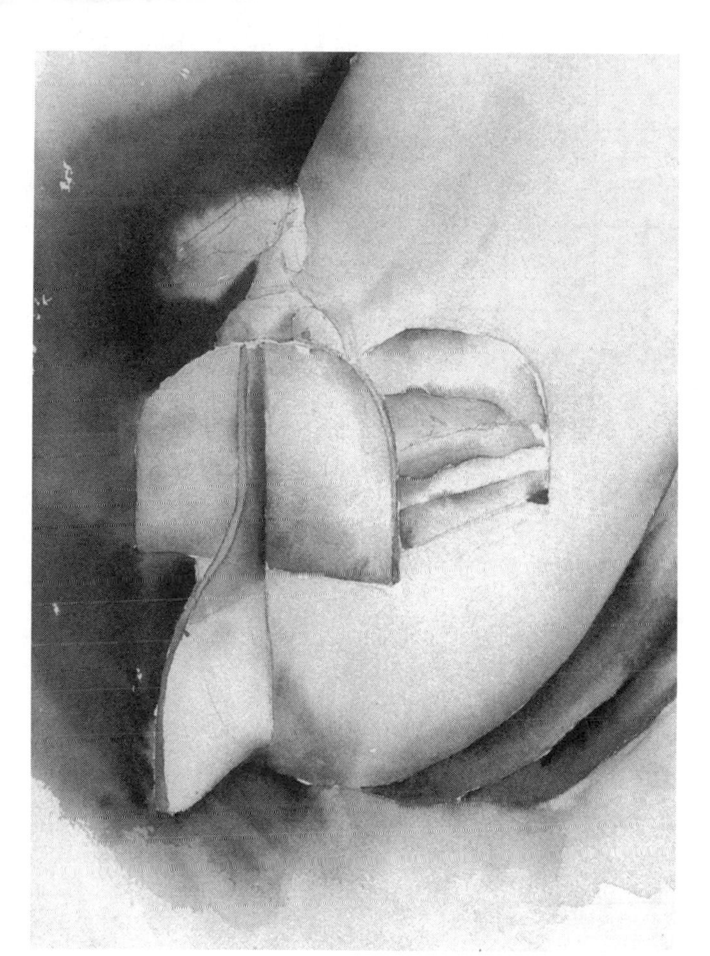

De la libération à la transformation en passant par l'information, les rêves sont précieux pour améliorer notre vie d'éveil.

La vie onirique est une expérience multidimensionnelle. Du simple rêve réactif qui reflète une condition physique affectant le dormeur au grand rêve spirituel qui élève la conscience à un niveau supérieur, le rêve remplit plusieurs fonctions selon les besoins du moment : il informe et guide, il libère et soulage, il détend et divertit, il prévient et protège, il enseigne et nourrit, il entraîne et transforme.

On constate ainsi que les fonctions du rêve sont illimitées et que nos attentes individuelles en détermineront la manifestation. Il suffit de maintenir la porte de notre conscience ouverte pour cueillir chaque matin les trésors de la nuit.

Plus les recherches avancent sur les fonctions physiologiques et psychologiques du rêve, plus nous réalisons combien le rêve est essentiel à notre bien-être. Que ce soit pour améliorer la mémoire en consolidant les souvenirs récents ou anciens, ou pour évacuer le stress de jour, les images de la nuit ont un impact puissant sur notre psychisme.

Dans le but de simplifier l'étonnante complexité de l'expérience onirique, nous pouvons nommer les trois principaux rôles des rêves : libérer, informer et transformer. Ces applications utiles vont générer les trois types de rêves : les rêves de libération, les rêves d'information et les rêves de transformation.

LES RÊVES DE LIBÉRATION

Le sommeil nous affranchit d'abord de l'emprise des sens, qui s'éteignent peu à peu lors de l'endormissement. Cette première libération bienfaisante permet de se couper de l'environnement devenu agressant après l'accumulation de la fatigue du jour. Ce besoin régulier de savourer le silence et l'obscurité devient un moment de ressourcement intérieur. Nous pouvons ainsi nous envoler librement dans les bras de Morphée (dieu grec des songes).

Une des premières observations sur le rôle libérateur des rêves démontre l'importance de l'évacuation du stress diurne. Cette fonction a été mise en évidence dans de nombreux laboratoires de sommeil. L'expérience consiste à établir une comparaison entre deux groupes de dormeurs. Chez les personnes soumises à un stress continu (exemple : étudiants en période d'examen), la portion de sommeil paradoxal est mesurée et comparée à celle d'autres sujets vivant une période calme. Les résultats démontrent invariablement une augmentation marquée de la durée des rêves chez le groupe soumis au stress.

La vie moderne est génératrice de nombreux stress. Qu'ils soient temporaires ou chroniques, ces événements angoissants influencent fortement nos états d'être. Heureusement que le sommeil apporte un soulagement sous la forme des rêves de libération. En période de deuil, de perte d'emploi ou de conflit majeur, les rêves libérateurs permettent ainsi d'évacuer la peine, l'insécurité ou la frustration conséquentes à ces situations perturbatrices. L'équilibre émotif devient une priorité et les images de la nuit sont le reflet d'un soulagement dans le but d'affronter par la suite le quotidien.

Josiane, directrice des ventes dans une grande entreprise, apprend qu'un collègue veut lui ravir son poste. La colère générée par cette rumeur la tourmente et lui cause quelques nuits d'insomnie. Puis, lorsqu'elle réussit enfin à dormir, elle fait le rêve suivant :

> « Titre : La chasse aux lions
>
> Je me promène dans une jungle remplie d'animaux sauvages. On me donne un fusil pour que j'aille y chasser des lions. Comme je n'ai jamais fait cela, je pars craintive et mal à l'aise avec cette arme un peu lourde pour moi. Soudain apparaît un lion rugissant qui s'apprête à me sauter dessus. Mon instinct de survie me dicte de tirer sur lui au plus vite. J'empoigne l'arme qui devient soudain légère et je tue le lion.
>
> Sentiments : soulagement et fierté. »

Le lendemain, contrairement aux autres matins, Josiane s'éveille avec un sentiment de profond bien-être. Elle se rend au travail et constate que la colère des derniers jours a disparu. Dans un état de confiance et de calme (généré par son rêve de safari réussi), elle convoque son collègue et lui parle de sa déception vis-à-vis de son comportement (désir de prendre sa place). Il l'assure que cette information n'est qu'une fausse rumeur, puisqu'il doit quitter l'entreprise à cause d'une promotion de son épouse dans une autre ville. Grâce à l'évacuation de sa colère (tuer le lion), Josiane a repris confiance en elle et a agi (la chasse aux lions) en affrontant son collègue sur la cause de sa colère. Cela lui a permis de neutraliser avec aisance (arme devenue légère) la situation problématique (affronter l'animal menaçant).

Le rôle de libération des rêves va encore plus loin dans les rêves compensateurs où tous les manques de jour disparaissent. La fonction de compensation du rêve comble généreusement tous nos désirs. Les manques peuvent se situer à différents niveaux : manque de temps, d'argent, de liberté, de reconnaissance, de tendresse, de sensualité ou de fantaisie, pour n'en nommer que quelques-uns.

Libéré de nos manques, nous vivons en rêve des moments de grande satisfaction. Freud a mis en lumière ce rôle essentiel à notre équilibre émotif : « L'accomplissement du désir refoulé peut donner une satisfaction assez grande pour compenser les affects pénibles que la veille a laissés derrière elle*. »

Les frustrations diurnes trouvent ainsi un chemin de libération durant le sommeil. Une fois évacuée par un scénario explicite, la frustration cesse de hanter nos pensées. Nous nous éveillons avec un sentiment de bien-être.

Sylvain, camionneur depuis 15 ans, adore le *fast food,* mais son médecin lui interdit d'en manger à cause de sérieux problèmes de santé récents. La nuit, sa frustration due à sa diète provoque des rêves de libération.

> « Titre : L'évasion facile
>
> Je suis prisonnier d'une cage en métal. J'ai très faim. Je me sens malheureux et de plus en plus frustré parce que personne ne m'apporte de la nourriture. Soudain, en m'appuyant aux barreaux de ma cage, je constate que ceux-ci sont minces et faits d'une broche souple. J'écarte les barreaux avec facilité et je m'enfuis. À l'extérieur, il y a des dizaines de cantines mobiles remplies d'aliments que j'aime (hot-dogs, hamburgers et frites). J'en mange à chacune des cantines et personne ne m'arrête.
>
> Sentiment : plaisir. »

---

* Freud, Sigmund, *L'interprétation des rêves*, Presses Universitaires de France, Paris, 1989, p. 581.

Sylvain avoue que ce genre de scénario revient régulièrement et que seul l'empêchement du début du rêve varie. Voici quelques exemples des obstacles qu'il contourne pour réussir à manger ses mets favoris : des enfants qui l'empêchent de manger en le faisant tourner dans un carrousel, un policier bloquant l'entrée d'un restaurant, un ours enragé tentant de s'emparer de son plat de nourriture. L'important demeure cependant la fin du rêve, lorsqu'il réussit enfin à déguster avec jouissance son repas tant désiré.

LES RÊVES D'INFORMATION

Le sommeil en apparence passif nous offre parfois des moments de grande clarté. La manifestation de cette lucidité provient de certaines habiletés intérieures qui nous étonnent sans cesse. Même Jung nota cette merveilleuse capacité du rêve de nous informer : « Par suite de sa relativité spatio-temporelle, l'inconscient a de meilleures sources d'information que la conscience qui ne dispose que des perceptions sensorielles*. »

À l'état d'éveil, certains éléments d'une importance capitale peuvent nous échapper. Le rêve se charge alors de porter à notre attention ces détails essentiels à la compréhension d'un problème. Tant au niveau physique, émotionnel que spirituel, les intuitions de nuit sont au service de notre bien-être. Tel un radar ultra-perfectionné, le rêve détecte la moindre information importante à se rappeler.

Au niveau physique, le rêve nous dévoile ce qui se passe dans notre corps ou dans notre environnement. Que ce soit un environnement néfaste qui risque de

* Jung, Carl Gustav, *Ma vie*, Éditions Gallimard, Paris, 1973, p. 359.

nous causer des problèmes ou un trouble organique qui risque de se développer en maladie grave, le rêve, toujours à l'affût des dangers potentiels, se charge de nous en informer. Ghislain Devroede, éminent chirurgien pratiquant au Québec, tient compte des rêves de ses patients dans ses consultations. Il sait pertinemment que les messages de la nuit sont des indicateurs précieux. Dans son livre *Ce que les maux de ventre disent de votre passé,* il en cite quelques exemples*.

Un autre type d'information que le rêve offre régulièrement se rapporte à notre vie émotionnelle et à notre degré de vulnérabilité. S'il arrive parfois que nous ne soyons pas conscient d'une fragilité temporaire au niveau émotif, le rêve mettra en lumière des scènes de catastrophes dévoilant une certaine forme d'impuissance.

Monique, maman de trois enfants, se souvient d'un rêve récurrent qui se présente chaque fois qu'un de ses enfants est malade.

> « Titre : Le canot
> Je suis seule dans un joli canot sur un lac calme. Soudain, des vagues foncent sur moi et l'embarcation se remplit d'eau. Je sens que je vais couler au fond du lac. Je panique et je m'éveille.
> Sentiment : impuissance. »

Monique a compris qu'elle se sent seule devant la maladie d'un de ses enfants (seule dans le canot) et cela génère une grande inquiétude (les vagues qui foncent sur elle). Ces émotions envahissantes (l'eau qui submerge l'embarcation) lui rappellent sa fragilité émotionnelle et son impuissance.

---

* Devroede, Ghislain, *Ce que les maux de ventre disent de votre passé*, Éditions Payot, Paris, 2002, 311 p.

Pour mieux profiter du rôle informateur du rêve, nous n'avons qu'à demeurer à l'écoute des messages de la nuit et à faire le lien entre les préoccupations de la journée et les images oniriques.

LES RÊVES DE TRANSFORMATION

En tant qu'agent de changement, le rêve transformateur joue un rôle très important dans notre évolution intérieure. Il facilite, accélère ou provoque les améliorations attendues.

Afin de faciliter les transformations nécessaires, le rêve permet de vivre certaines actions : une technique sportive à améliorer, une habileté manuelle à maîtriser, des notions intellectuelles à assimiler ou des leçons spirituelles à intégrer.

Dans le but d'accélérer la transformation souhaitée, le rêve met en scène des situations qui reproduisent la situation vécue de jour. Nous avons ainsi la chance de pratiquer à nouveau. Tel un simulateur virtuel, le rêve nous met en situation de répéter tout à notre aise et cela aussi longtemps que nous en aurons besoin.

À un niveau plus subtil, les rêves de transformation jouent un rôle de catalyseur pour intégrer des valeurs spirituelles. Que ce soit une interrogation sur le but de l'existence ou un questionnement sur la vie après la mort, le rêve peut fournir des indices qui aident à franchir une nouvelle étape. Jung relate un rêve qui traite de ce type de problématique : « J'ai fait une autre expérience sur l'évolution de l'âme après la mort quand — un an environ après la mort de ma femme — je me réveillai soudain une nuit et sus que j'étais allé près d'elle dans le sud de la France, en Provence, où nous avions passé un jour entier ensemble. Elle y faisait des études sur le Graal. Cela me parut très significatif car elle était morte avant d'avoir terminé le travail qu'elle avait entrepris sur ce sujet. … ce rêve fut pour moi très apaisant*. »

Afin de provoquer des améliorations à la hauteur de nos attentes, il n'en tient qu'à nous d'oser induire des rêves transformateurs. Voici des exemples de postulats de rêve :

Cette nuit, je pratique l'art de l'écoute.
Cette nuit, je m'ouvre à la Lumière divine.
Cette nuit, je développe ma capacité d'amour.
Cette nuit, j'apprends à maîtriser mes émotions.
Cette nuit, je reçois les enseignements dont j'ai besoin.
Cette nuit, j'accueille les changements que mon âme désire.
Cette nuit, je pratique le lâcher prise.
Cette nuit, je suis au service de l'Univers.
Cette nuit, j'invite mon guide intérieur à m'enseigner les lois spirituelles.
Cette nuit, j'atteins une plus grande souplesse devant les situations incontrôlables.

Avec ce genre d'induction de rêves, il importe de savoir que l'on se souvienne du rêve ou pas, le travail intérieur se fait. La confiance et le détachement sont des atouts importants pour favoriser les changements demandés.

Personnellement, j'ai un faible pour les postulats concernant des rêves de transformation. Mon journal de rêves devient le confident de mes aventures de nuit révélatrices de changements désirés. Pendant que mon

---

* Jung, Carl Gustav, *Ma vie*, Éditions Gallimard, Paris, 1973, p. 352.

corps dort et se régénère, mon âme, qui n'a pas besoin de repos, s'occupe de mon évolution intérieure. Elle pratique, apprend et intègre en toute liberté. Pendant les moments de récupération physique, due au sommeil quotidien, une régénération spirituelle se met en place, sans effort et sans contrainte.

Pour faciliter la réalisation du postulat demandé, il suffit de vérifier que les trois conditions suivantes sont respectées : un désir sincère, une intention noble et un besoin prioritaire. Avoir un désir sincère implique un souhait venant du cœur et non de la tête. Maintenir une intention noble signifie s'assurer d'agir pour le bien de tous (le nôtre et celui des autres). Finalement, déterminer un besoin prioritaire demande de bien cibler le postulat en fonction des besoins du moment.

De la libération à la transformation en passant par l'information, les rêves sont précieux pour améliorer notre vie d'éveil. Dormir n'est plus une perte de temps lorsqu'on réalise jusqu'à quel point le sommeil s'avère essentiel à notre bien-être.

TABLEAUX

LISTE DE POSTULATS

À faire tous les jours
pour induire des rêves d'interrogation ou d'action

INTERROGATION	
Verbe	**Sujet**
Je sais comment résoudre…	… ma santé
Je comprends la cause de…	… mes finances
Je vérifie quand…	… ma vie affective
Je découvre la solution pour…	… mes capacités de communication
Je connais la meilleure façon de…	… mon avenir sentimental
Je vois comment…	… ma future carrière
Je repère la bonne méthode pour…	… les loisirs les plus utiles
Je saisis la vraie cause de…	… un changement professionnel
Je réalise pourquoi…	… un obstacle à éviter

ACTION	
Verbe	**Sujet**
Je prends des vacances pour…	repos, ressourcement, divertissement…
J'offre mon aide à…	famille, amis, collègues…
J'étudie un sujet pour…	pratiquer, améliorer, intégrer…
Je rencontre telle personne pour…	comprendre, communiquer, harmoniser…
Je me ressource dans l'énergie pour…	soulager, soigner, guérir…
Je visite une autre dimension ou plan…	astral, temporel, mental, spirituel…
Je contacte des guides pour…	étudier, apprendre, maîtriser…
Je développe mes habiletés…	manuelles, artistiques, intellectuelles…
Je lâche prise sur…	doute, insécurité, attachement…
Je reçois l'inspiration pour…	m'amuser, créer, collaborer…

LISTE D'AFFIRMATIONS

À répéter régulièrement pour améliorer le contenu des rêves

Mémoire
Je me souviens de plus en plus de mes rêves.
Mes rêves sont importants et je m'en souviens au réveil.
Ma mémoire augmente de jour en jour.
Je rêve de plus en plus consciemment.
Je suis à l'aise de me souvenir de mes rêves.

Clarté
Mes rêves sont de plus en plus clairs.
Je comprends facilement les images de la nuit.
Mes rêves me démontrent directement la route à suivre.
Je me permets de voir avec clarté les messages de la nuit.
J'accepte la simplicité de mes rêves.

Plaisir
J'aime rêver et analyser mes rêves.
Mon cinéma de nuit me comble de plus en plus.
J'accueille avec joie les images de la nuit.
J'ai du plaisir à rêver consciemment.
Mes scénarios de rêves sont divertissants et inspirants.

Solution
Mes rêves me guident pas à pas.
Je trouve toutes mes solutions la nuit.
Je sais comment améliorer ma vie de jour en utilisant mes rêves.
Mes rêves me donnent les réponses dont j'ai besoin.
Tous mes questionnements sont résolus pendant mon sommeil.

LISTE DE SENTIMENTS

À noter à la fin du rêve
pour analyser correctement les images

POSITIFS

Bonheur	Amour	Autres
Contentement	Sensibilité	Espoir
Joie	Affection	Fierté
Chance	Complicité	Satisfaction
Enthousiasme	Tendresse	Inspiration
Ravissement	Volupté	Détachement
Plénitude	Amour	Audace
Extase	Fraternité	Courage
Émerveillement	Passion	Flexibilité
Allégresse	Engagement	Neutralité
Sérénité	Attachement	Harmonie

NÉGATIFS

Peur	Tristesse	Autres
Inquiétude	Peine	Ambiguïté
Crainte	Abattement	Colère
Trouble	Douleur	Incertitude
Vulnérabilité	Chagrin	Culpabilité
Préoccupation	Abandon	Insatisfaction
Frayeur	Morosité	Inquiétude
Anxiété	Tristesse	Doute
Panique	Accablement	Surprise
Angoisse	Déprime	Indécision
Terreur	Pessimisme	Étonnement

LISTE DE THÈMES

À choisir mensuellement
pour améliorer un aspect personnel à long terme

PHYSIQUE	ÉMOTIONNEL	MENTAL	SPIRITUEL
Santé	Amour	Clarté	Paix
Vitalité	Amitié	Concision	Sérénité
Plaisir	Joie	Structure	Sagesse
Aisance	Enthousiasme	Inspiration	Liberté
Discipline	Tendresse	Motivation	Intégrité
Abondance	Humour	Souplesse	Don de soi
Bien-être	Indépendance	Créativité	Service
Ordre	Audace	Droiture	Ouverture
Confort	Autonomie	Courage	Générosité
Prospérité	Passion	Authenticité	Compassion
Harmonie	Satisfaction	Contentement	Plénitude
Énergie	Jouissance	Génie	Extase

CONCLUSION

Voilà ! Le survol du monde enchanteur des rêves s'achève déjà.

Résumons brièvement les éléments qui relèvent de l'approche directe des rêves. D'abord, vous avez fait la découverte d'un monde qui vous appartient, celui de votre être intérieur. Ensuite, vous avez pris connaissance de certaines techniques pouvant vous aider à travailler avec les images de la nuit. Puis, vous avez commencé à entrevoir votre potentiel divin dévoilé par l'ouverture sur votre monde onirique.

En devenant un **rêveur actif**, puis un rêveur conscient, vous possédez les clés de la maîtrise. C'est le début d'une belle aventure, celle d'associer l'art de rêver à l'art de vivre. Il n'en tient qu'à vous d'essayer, d'expérimenter et d'oser.

Rappelez-vous que le **journal de rêves** symbolise votre engagement, car il reflète la sincérité de votre démarche. En recueillant précieusement les confidences de la nuit, il devient votre complice et votre allié. Sa **relecture** vous livre fidèlement les informations indispensables à la compréhension de votre quotidien.

Peu à peu, la confiance s'installe entre vous et vos rêves. Le dialogue amorcé par l'écoute attentive des mondes intérieurs établit une communication puissante au service de votre bien-être et de votre épanouissement. Soyez patient, l'expérience et le temps vous procureront les outils nécessaires pour déchiffrer le sens véritable de vos rêves. Mon vécu personnel illustre bien ce point. Le contact étroit que j'entretiens avec mon journal m'aide à prendre de justes décisions et à orienter mes actions dans la bonne direction. Reflets de l'individualité, les rêves avertissent au besoin et offrent des conseils pratiques applicables dans le quotidien. Sans aucun doute, la compréhension de vos nuits embellira votre vie éveillée.

BIBLIOGRAPHIE

BARTON, Winnifred G., *Le Pouvoir des rêves*, Éditions de Mortagne, Boucherville, 1989, 221 p.

BRO, Harmon H., *Edgar Cayce : les rêves et la réalité*, Éditions J'ai lu, Paris, 1983, 315 p.

CAYLA, Henri, *Vos rêves sont des miroirs*, Éditions de l'Homme, Montréal, 1984, 185 p.

CLERC, Olivier, *Vivre ses rêves*, Éditions Guy Saint-Jean HELIOS, Laval, 1986, 185 p.

COLLECTIF de L'Arc-en-ciel, *Et si les rêves servaient à nous éveiller?*, Éditions Quebecor, Montréal, 1991, 278 p.

DACO, Pierre, *L'Interprétation des rêves*, Éditions Marabout, Verviers, 1979, 318 p.

DELANEY, Gayle, *Dreamtime and Dreamwork*, Jeremy P. Tarcher, Los Angeles, 1990, 304 p.

DEVROEDE, Ghislain, *Ce que les maux de ventre disent de votre pensée*, Éditions Payot, Paris, 2002, 310 p.

FLUCHAIRE, Pierre, *La Révolution du rêve*, Éditions Dangles, Saint-Jean-de-Braye, 1985, 354 p.

FREUD, Sigmund, *L'interprétation des rêves*, Presses Universitaires de France, Paris, 1989, 696 p.

GARFIELD, Patricia, *Comprendre les rêves de vos enfants*, Éditions Albin Michel, Paris, 1987, 448 p.

GARFIELD, Patricia, *La Créativité onirique*, Éditions de La Table Ronde, Paris, 1983, 237 p.

JUNG, Carl Gustav, *Ma vie*, Éditions Gallimard, Paris, 1973, 528 p.

KLEMP, Harold, *The Dream Master*, Eckankar, Minneapolis, 1993, 233 p.

LABERGE, Stephen, *Le Rêve lucide*, Éditions Oniros, Île Saint-Denis, 1991, 311 p.

LACHANCE, Laurent, *Les rêves ne mentent pas*, Éditions Robert Laffont, Paris, 1983, 253 p.

LANDREUX-VALABRÈGUE, Jackie, *Changer ses nuits — Changer sa vie*, Éditions Alain Brêthe, Paris, 1992, 157 p.

RENARD, Hélène, *Les Rêves et l'Au-delà*, Éditions Philippe Lebaud, France, 1991, 256 p.

RYBACK, David et Letitia Sweitzer, *Les Rêves prémonitoires*, Éditions Sand, Paris, 1990, 249 p.

SALTVAGE, Geneviève, *Décodez vos rêves*, Éditions Presses Pocket, France, 1992, 283 p.

TWITCHELL, Paul, *La Flûte de Dieu*, Eckankar, Minneapolis, 1978, 116 p.

TWITCHELL, Paul, *La Griffe de tigre*, Eckankar, Minneapolis, 1967, 105 p.

VÉZINA, Jean-François, *Les hasards nécessaires*, Éditions de l'Homme, Montréal, 2001, 219 p.

VON FRANZ, Marie-Louise, *Rêves d'hier et d'aujourd'hui*, Éditions Albin Michel, Paris, 1992, 203 p.

COURS ET CONFÉRENCES

Nicole Gratton, auteure de 12 ouvrages publiés au Canada et en Europe, est fondatrice et directrice de la première École de Rêves au Québec. Elle forme des animateurs certifiés qui offrent ses ateliers dans plusieurs régions du Québec. Des cours par correspondance sont maintenant disponibles.

Pour des renseignements concernant les prochaines activités, vous pouvez faire parvenir votre demande à l'éditeur ou à l'adresse suivante.

Courrier postal	C.P. 22, succ. Saint-Michel Montréal (Québec) Canada H2A 3L8
Courrier électronique	info@nicole-gratton.com
Site Web	www.nicole-gratton.com